『このミステリーがすごい!』公式
ミステリー読書ノート

『このミステリーがすごい!』編集部 編

宝島社

装画　坂崎千春
装幀　稲岡聡平デザイン室

目次

せっかく読んだ本のことは
なるべく覚えていたいものです。
読んだ本のタイトルをリストにしておくと、
確認したいときに一目瞭然。
リストが埋まる達成感も味わおう！

	書名	著者名
1		
2		
3		
4		
5		
6		
7		
8		
9		
10		
11		
12		
13		
14		
15		
16		
17		
18		
19		
20		

	書名	著者名
21		
22		
23		
24		
25		
26		
27		
28		
29		
30		
31		
32		
33		
34		
35		
36		
37		
38		
39		
40		

	書名	著者名
41		
42		
43		
44		
45		
46		
47		
48		
49		
50		
51		
52		
53		
54		
55		
56		
57		
58		
59		
60		

	書名	著者名
61		
62		
63		
64		
65		
66		
67		
68		
69		
70		
71		
72		
73		
74		
75		
76		
77		
78		
79		
80		

	書名	著者名
81		
82		
83		
84		
85		
86		
87		
88		
89		
90		
91		
92		
93		
94		
95		
96		
97		
98		
99		
100		

記録
ページ

- 1冊目から順番に、読んだ本の情報を記入しよう。
- 左端の項目は、本のジャンルをチェックしてみて。
  （ない場合はメモ欄に書いても◎）
- 物語のタイプはチャートにすると一目瞭然。
- メモ欄には、感想はもちろん、トリック、犯人の名前、
  印象に残った台詞、読書中の推理メモなど、自由に記入しよう！

冊目

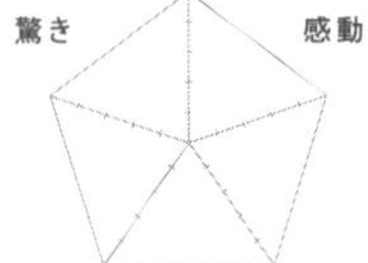

書名

著者

出版社

イラストレーター

装幀

帯のキャッチコピー

読書開始日

読了日

MEMO

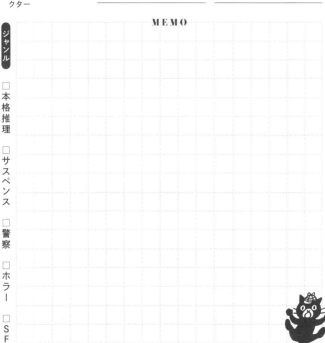

ジャンル

□本格推理

□サスペンス

□警察

□ホラー

□SF

2
冊目

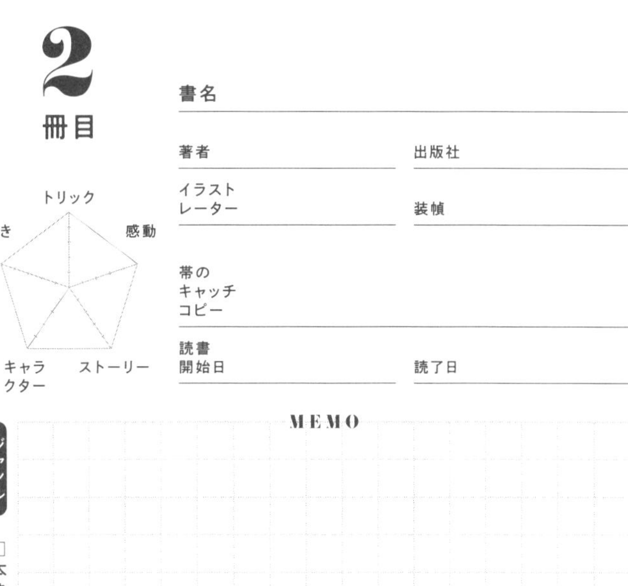

書名

著者

出版社

イラストレーター

装幀

帯のキャッチコピー

読書開始日

読了日

MEMO

ジャンル

□本格推理
□サスペンス
□警察
□ホラー
□SF

3 冊目

書名

著者

出版社

イラストレーター

装幀

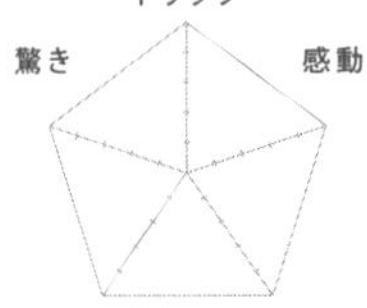

帯のキャッチコピー

読書開始日

読了日

MEMO

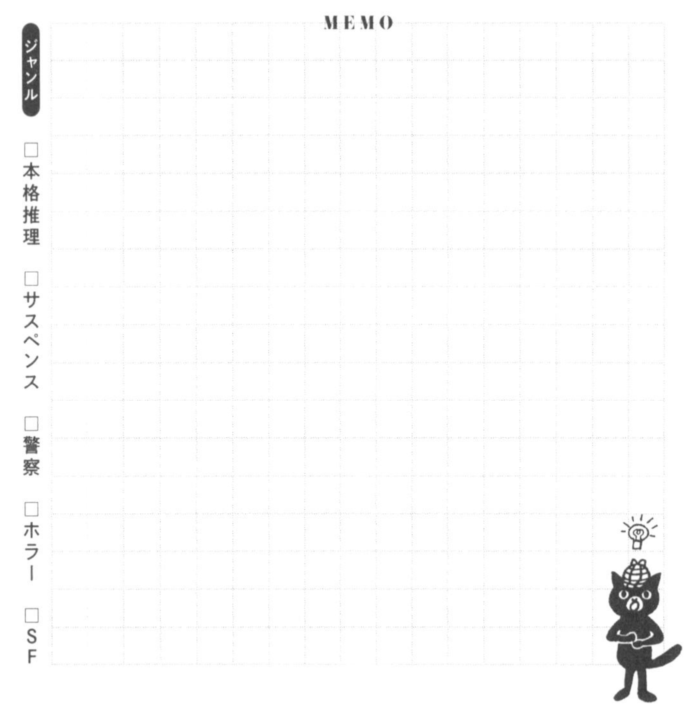

4
冊目

トリック
驚き
感動
キャラクター
ストーリー

書名

著者

出版社

イラストレーター

装幀

帯のキャッチコピー

読書開始日

読了日

ジャンル

□本格推理

□サスペンス

□警察

□ホラー

□SF

MEMO

冊目

書名

著者

出版社

イラスト
レーター

装幀

帯の
キャッチ
コピー

読書
開始日

読了日

トリック

驚き

感動

キャラ
クター

ストーリー

MEMO

ジャンル

□本格推理

□サスペンス

□警察

□ホラー

□SF

6 冊目

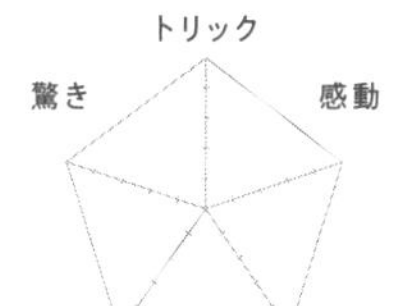

書名

著者

出版社

イラストレーター

装幀

帯のキャッチコピー

読書開始日

読了日

ジャンル

□本格推理

□サスペンス

□警察

□ホラー

□SF

MEMO

冊目

書名

著者

出版社

イラスト
レーター

装幀

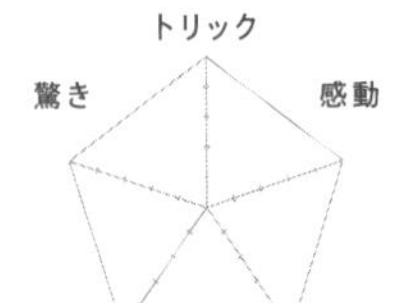

帯の
キャッチ
コピー

読書
開始日

読了日

MEMO

ジャンル

□本格推理

□サスペンス

□警察

□ホラー

□SF

8 冊目

書名

著者

出版社

イラストレーター

装幀

帯のキャッチコピー

読書開始日

読了日

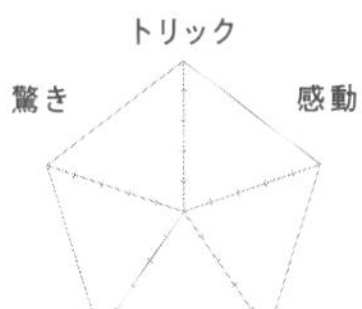

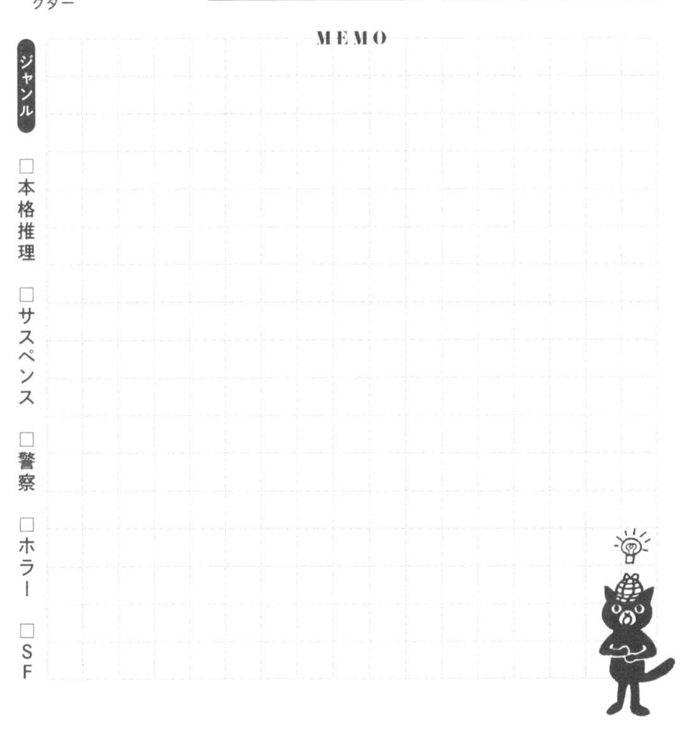

9
冊目

トリック
驚き
感動
キャラクター
ストーリー

書名

著者

出版社

イラストレーター

装幀

帯のキャッチコピー

読書開始日

読了日

MEMO

ジャンル

□本格推理

□サスペンス

□警察

□ホラー

□SF

10 冊目

書名

著者　出版社

イラストレーター　装幀

帯のキャッチコピー

読書開始日　読了日

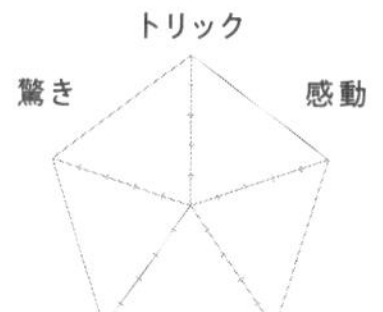

MEMO

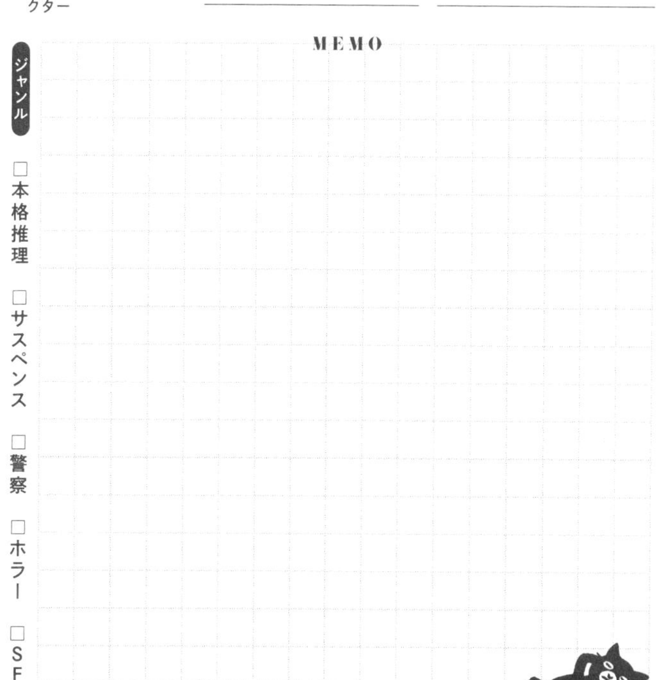

これを読めば
\ ミステリー通! /
column
1

用語解説 編 (vol.1)

なんとなく馴染みはあっても、説明しようとすると難しい言葉ってありますよね。このコラムでは、そんなミステリー用語をいくつか紹介します!「これは○○ものだね」などと使ってみましょう。

●安楽椅子探偵(アームチェア・ディテクティブ)

事件現場におもむいて調査することなく、警察や記者等の関係者から話を聞いたり情報を得たりして、事件を解決する探偵のこと。バロネス・オルツィの創造した「隅の老人」(でも意外と出歩いているような?)やアガサ・クリスティーのミス・マープル、日本では北村薫(きたむらかおる)の春桜亭円紫(しゅんおうていえんし)などが有名です。

(※敬称略。以下同様)

●クローズド・サークル

絶海の孤島や吹雪の山荘など、何らかの事情で外部との連絡が断たれた状況。往々にしてその空間で殺人事件が発生します。アガサ・クリスティーの『そして誰もいなくなった』が古典的名作として知られ、日本でも綾辻行人(あやつじゆきと)『十角館の殺人』や『このミステリーがすごい!』で1位を獲得した今村昌弘(いまむらまさひろ)『屍人荘の殺人』など数多くのクローズド・サークルが描かれています。

●社会派

社会性のある題材を扱い、動機やトリックの現実性に重きを置いたミステリー。1958年に松本清張(まつもとせいちょう)『点と線』『眼の壁』が大ヒットしたことで生まれた言葉とされ、60年代には水上勉(みずかみつとむ)(『飢餓海峡』など)らもそう認識されるようになりました。現代でも社会派作品は多く発表されています。

●叙述トリック

描写を省いたり曖昧にしたりすることで、読者に先入観を抱かせてミスリードを誘う手法。作者が読者に対して仕掛けるトリックをいいます。アガサ・クリスティーに有名な作例があり、当時は世界的に大きな反響を呼びましたが、現代ではミステリー作品以外でもしばしば見られ一般化している感も。

●ノワール

「暗黒小説（ロマン・ノワール）」とも。フランス語で「黒」を意味し、主に犯罪者や裏社会を題材に、人間の悪意や暴力、残酷な世界を描き出す犯罪小説のジャンル。『このミステリーがすごい！』で1位を獲得した馳星周（はせせいしゅう）『不夜城』やジム・トンプスン『ポップ1280』も一般的にそう評されます。

●ハードボイルド

直訳すれば「固ゆで」ですが、転じて「非情な」という意味で用いられ、ミステリーにおいてはタフで行動的な探偵が活躍する作品を指す言葉に。批評家のアントニー・バウチャーはダシール・ハメット、レイモンド・チャンドラー、ロス・マクドナルドの三作家を同じスクール（一派）として括り、日本でも「ハードボイルド御三家」と呼ばれています。

●失われた環（ミッシングリンク）

互いに無関係と思われる連続殺人の被害者間に存在した、見えない繋がりのこと。典型的なミッシングリンク・テーマの作品としてはエラリー・クイーン『九尾の猫』、捻りを加えたパターンとしてはアガサ・クリスティー『ABC殺人事件』などがあります。サイコスリラーにもこのパターンが多いです。

冊目

書名

著者

出版社

イラストレーター

装幀

帯のキャッチコピー

読書開始日

読了日

トリック

驚き

感動

キャラクター

ストーリー

MEMO

ジャンル

□本格推理

□サスペンス

12

冊目

書名

著者

出版社

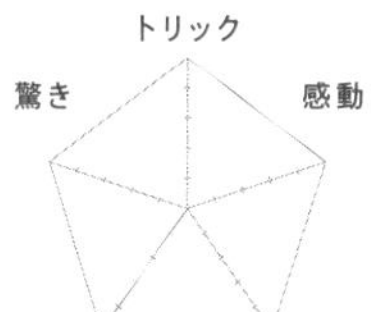

イラストレーター

装幀

帯のキャッチコピー

読書開始日

読了日

13
冊目

書名

著者

出版社

イラストレーター

装幀

帯のキャッチコピー

読書開始日

読了日

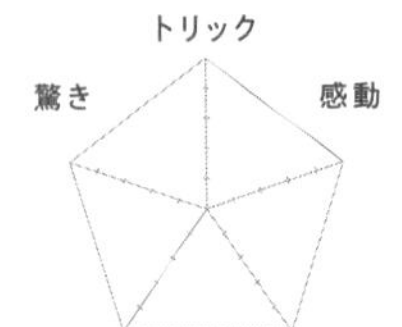

MEMO

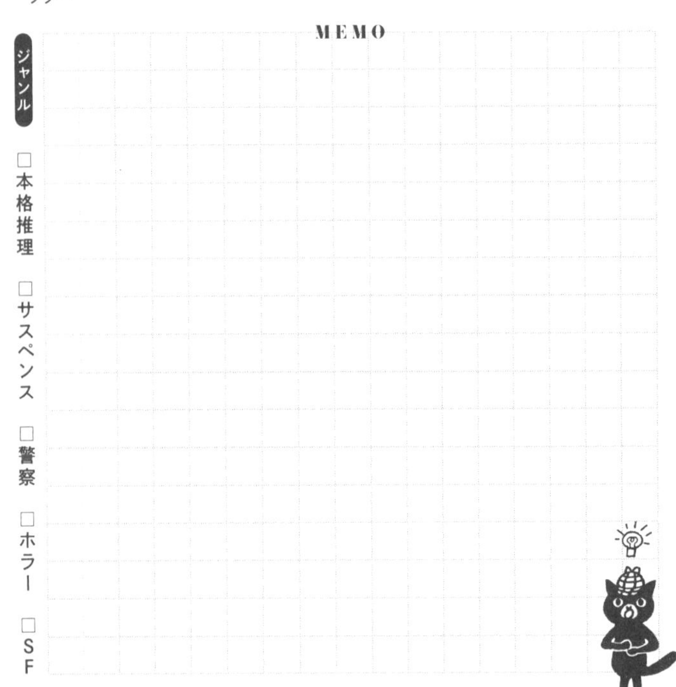

14
冊目

書名

著者

出版社

イラスト
レーター

装幀

帯の
キャッチ
コピー

読書
開始日

読了日

トリック

感動

ストーリー

キャラ
クター

驚き

MEMO

ジャンル

□本格推理

□サスペンス

□警察

□ホラー

□SF

15 冊目

書名

著者

出版社

イラストレーター

装幀

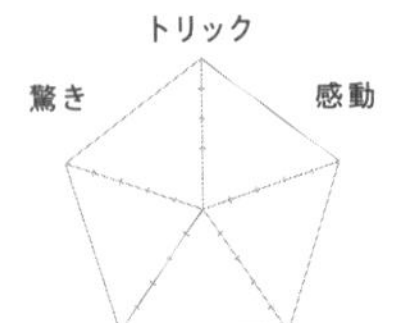

帯のキャッチコピー

読書開始日

読了日

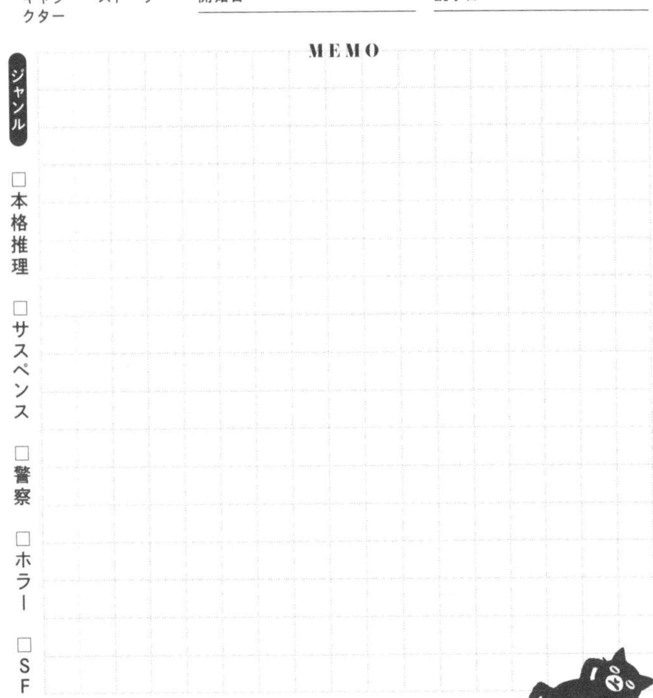

16
冊目

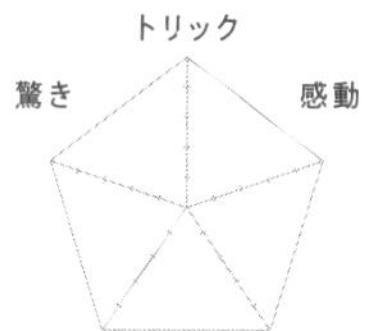

書名

著者

出版社

イラストレーター

装幀

帯のキャッチコピー

読書開始日

読了日

MEMO

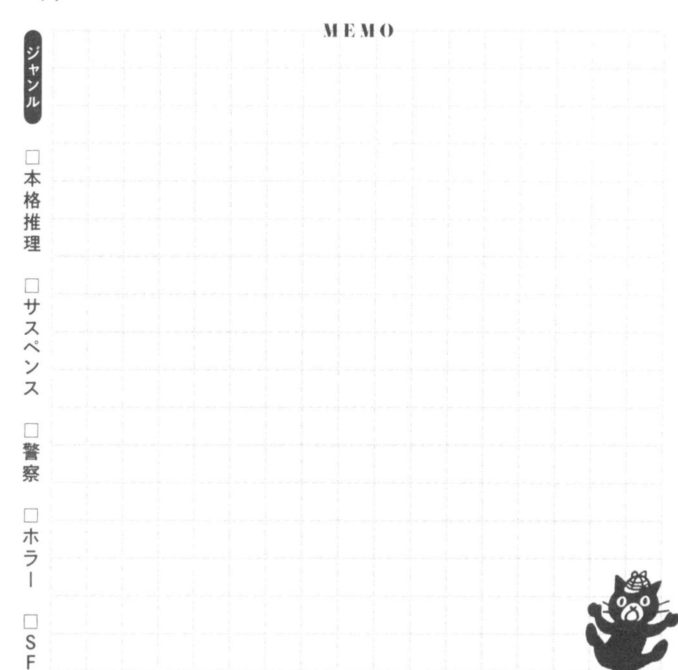

ジャンル

□本格推理

□サスペンス

□警察

□ホラー

□SF

17
冊目

書名

著者

出版社

イラストレーター

装幀

帯のキャッチコピー

読書開始日

読了日

トリック
感動
ストーリー
キャラクター
驚き

MEMO

ジャンル

□本格推理
□サスペンス
□警察
□ホラー
□SF

18 冊目

書名

著者

出版社

イラストレーター

装幀

トリック
感動
ストーリー
キャラクター
驚き

帯のキャッチコピー

読書開始日

読了日

MEMO

ジャンル

□本格推理
□サスペンス
□警察
□ホラー
□SF

19
冊目

書名

著者

出版社

イラスト
レーター

装幀

帯の
キャッチ
コピー

読書
開始日

読了日

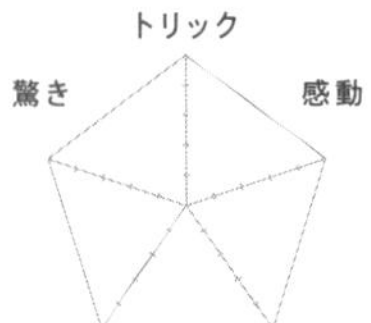

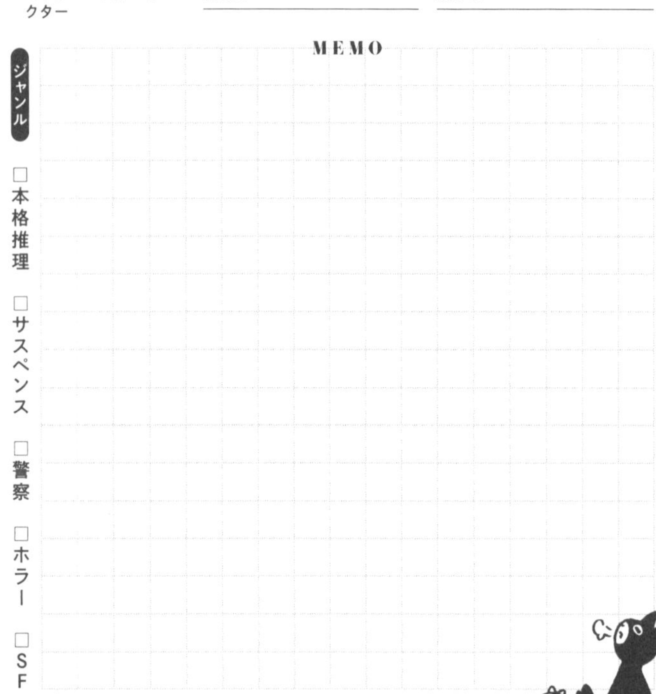

ジャンル

□本格推理

□サスペンス

□警察

□ホラー

□SF

冊目

書名

著者

出版社

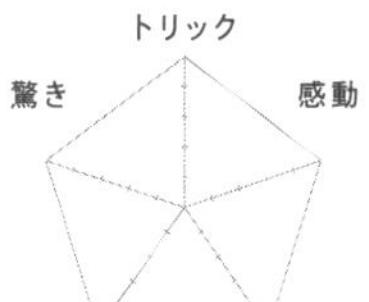

イラストレーター

装幀

帯のキャッチコピー

読書開始日

読了日

MEMO

ジャンル

□本格推理

□サスペンス

□警察

□ホラー

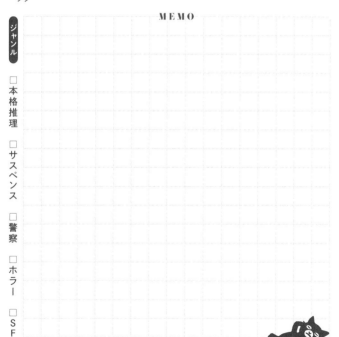

□SF

これを読めば
＼ミステリー通！／
column
2

ミステリー史 編

毎月たくさんのミステリーが刊行されていますが、その歴史は意外と浅く200年も経っていません。世界、そして日本のミステリー界を盛り上げてきた作家・作品を紹介します！

ミステリーというジャンルの起源は、名探偵オーギュスト・デュパンが登場するエドガー・アラン・ポーの短編小説「モルグ街の殺人」(1841)を祖とするとされています。不可思議な謎を論理的に解明するというその形式は、世界初の長編ミステリーといわれるエミール・ガボリオ『ルルージュ事件』やウィルキー・コリンズ『月長石』といった追随を生み、やがてコナン・ドイルの「シャーロック・ホームズ」シリーズの登場(1887)によって、その人気は爆発的なものとなりました。ミステリー形式の作品が世界中に飛び火したのです。

ドイルをはじめとする短編小説主流の時代を経て、第一次大戦後、欧米では長編ミステリーの黄金時代が花開きます。1920年にはアガサ・クリスティー『スタイルズ荘の怪事件』やF・W・クロフツ『樽(たる)』が書かれ、続けてドロシー・L・セイヤーズやS・S・ヴァン・ダインなどの作家たちも続々とデビューし、ミステリーの刊行点数は急速に増加しました。1930年代にはエラリー・クイーンやジョン・ディクスン・カーらが人気を博すと同時に、ダシール・ハメットやレイモンド・チャンドラーによって行動派の探偵もの、所謂(いわゆる)ハードボイルドが書かれます。

1940年代以降、ウィリアム・アイリッシュらの作品に代表されるサスペンス・犯罪小説が主流となります。また、エド・マクベイン「87分署」シリーズなどの警察小説、東西冷戦を背景としたイアン・フレミング「ジェームズ・ボンド」シリーズなどのスパイ小説も流行し、ミステリーが多様化していきました。

いっぽう日本では、黒岩涙香の手によって明治20年代(1890年前後)に最初の探偵小説ブームが到来しましたが、その頃はまだ翻訳・翻案が中心でした。国産のミステリーが胎動をはじめるのは、江戸川乱歩の登場を待たなければなりません。1923年に「二銭銅貨」で衝撃的なデビューを飾ると、「心理試験」や「D坂の殺人事件」など欧米のミステリーにならった理知的な作品を次々と発表、甲賀三郎や渡辺啓助などの作家も立て続けにデビューし、大正から昭和初年代にかけて、創作探偵小説のブームが本格的に訪れます。この波は日本が戦時体制化していくまで続きました。

戦中に溜め込まれていた創作のエネルギーは戦後になって爆発します。横溝正史『本陣殺人事件』を皮切りに、高木彬光や鮎川哲也など有力新人が一気に登場しました。そして高度経済成長期に移行すると、江戸川乱歩賞を受賞した仁木悦子『猫は知っていた』や松本清張『点と線』『眼の壁』がベストセラーとなり、ミステリーの読者層は大きく広がります。清張の作品は空前の社会派ブームを生み、従来のミステリーとは異なるリアリズムに根差した作風がジャンルの覇権を握りました。その後、探偵小説リバイバルブームや冒険小説、トラベルミステリーの流行を経て、1987年、綾辻行人『十角館の殺人』刊行をきっかけとした新本格ムーブメントが起こります。若手作家が一斉に表舞台に現われ、ふたたび潮目が変わりました。日本のミステリーも多様化し、文芸のメインストリームとなったのです。

21 冊目

書名

著者

出版社

イラストレーター

装幀

帯のキャッチコピー

読書開始日

読了日

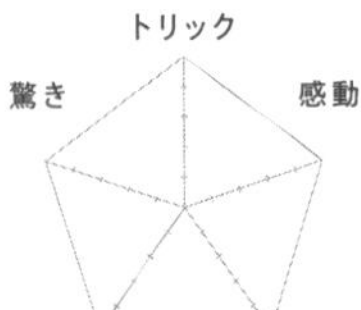

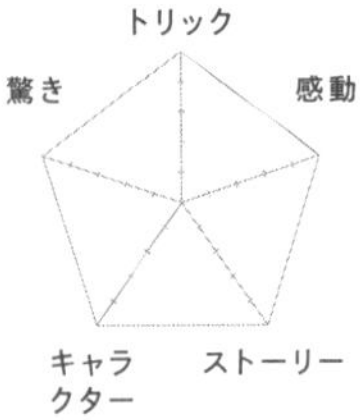

MEMO

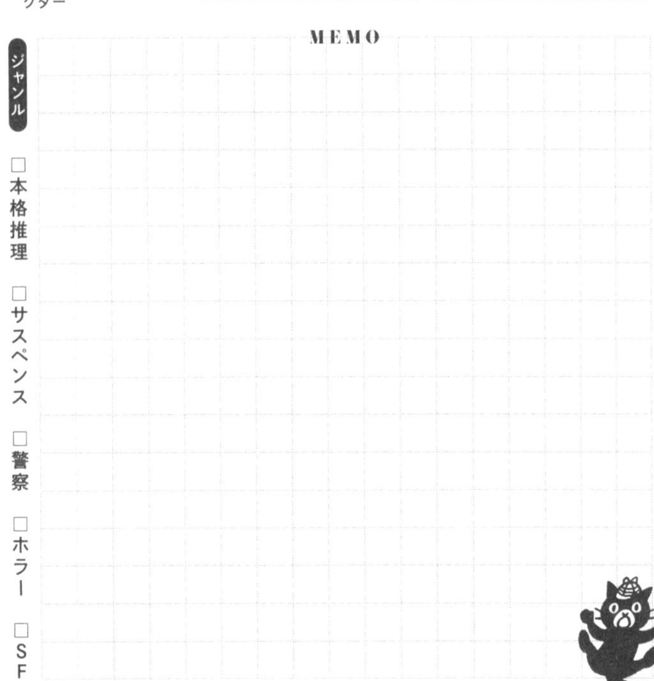

冊目

書名

著者

出版社

トリック

驚き

感動

キャラクター

ストーリー

イラストレーター

装幀

帯のキャッチコピー

読書開始日

読了日

MEMO

ジャンル

□本格推理

□サスペンス

□警察

□ホラー

□SF

23 冊目

書名

著者

出版社

イラストレーター

装幀

帯のキャッチコピー

読書開始日

読了日

トリック
感動
ストーリー
キャラクター
驚き

24
冊目

トリック
驚き
感動
キャラクター
ストーリー

書名

著者

出版社

イラストレーター

装幀

帯のキャッチコピー

読書開始日

読了日

ジャンル

□本格推理

□サスペンス

□警察

□ホラー

□SF

MEMO

25 冊目

書名

著者

出版社

イラストレーター

装幀

帯のキャッチコピー

読書開始日

読了日

トリック
感動
ストーリー
キャラクター
驚き

ジャンル

□本格推理

□サスペンス

□警察

□ホラー

□SF

MEMO

26
冊目

書名

著者

出版社

イラスト
レーター

装幀

帯の
キャッチ
コピー

読書
開始日

読了日

トリック
感動
ストーリー
キャラ
クター
驚き

MEMO

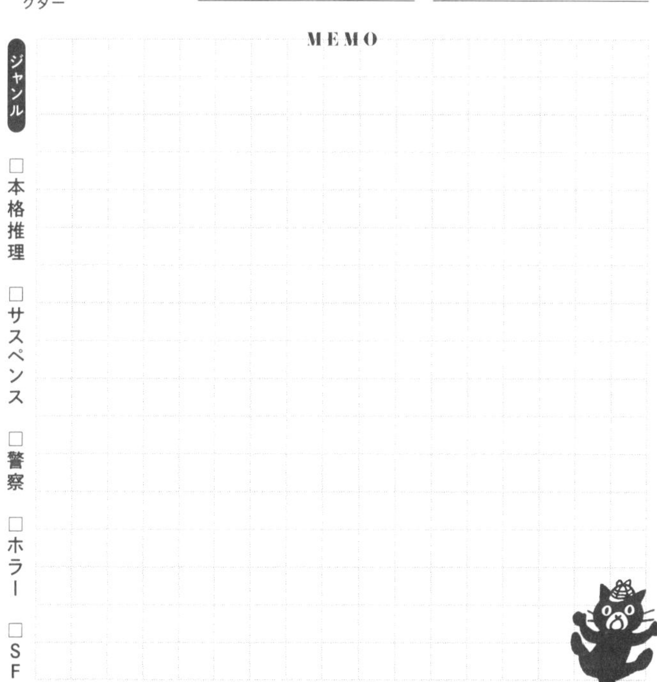

ジャンル

□本格推理

□サスペンス

□警察

□ホラー

□SF

27 冊目

書名

著者

出版社

イラストレーター

装幀

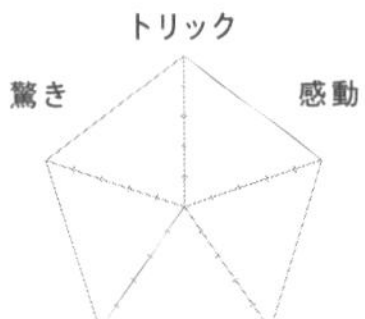

帯のキャッチコピー

読書開始日

読了日

MEMO

ジャンル

□本格推理

□サスペンス

□警察

□ホラー

□SF

28 冊目

書名

著者

出版社

イラストレーター

装幀

帯のキャッチコピー

読書開始日

読了日

トリック
感動
ストーリー
キャラクター
驚き

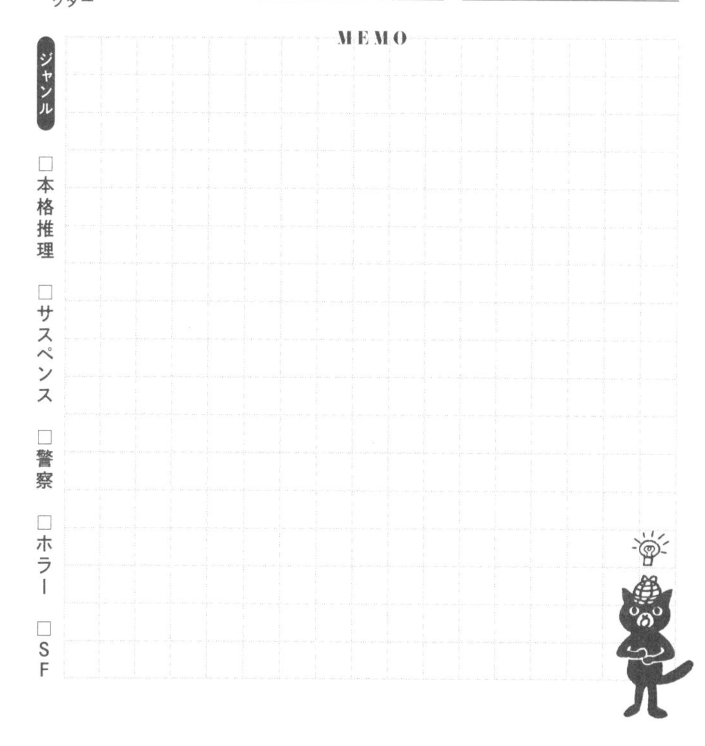

29
冊目

書名

著者
出版社

イラストレーター
装幀

帯のキャッチコピー

読書開始日
読了日

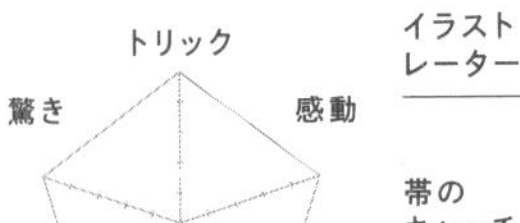

MEMO

ジャンル

□本格推理
□サスペンス
□警察
□ホラー
□SF

30
冊目

書名

著者
出版社

イラストレーター
装幀

帯のキャッチコピー

読書開始日
読了日

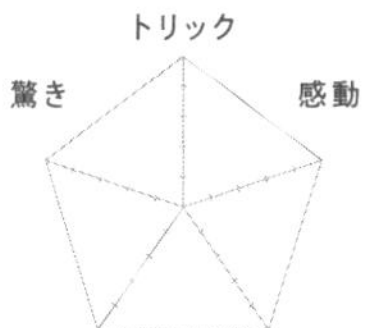

MEMO

ジャンル

□本格推理
□サスペンス
□警察
□ホラー
□SF

これを読めば
＼ミステリー通！／
column
3

用語解説編 (vol.2)

たまに目にすることはあるけれど、きちんと理解せず素通りしている言葉はありませんか？　このコラムでは、そんなミステリー用語をずばり解説します。ぜひ使ってみましょう！

●Q.E.D.

「証明終了」を意味する「Quod Erat Demonstrandum」というラテン語を略した頭字語。元々は数学用語ですが、エラリー・クイーンが推理の決め文句として使用したことでも知られます。高田崇史（たかだたかふみ）の同名の歴史ミステリーシリーズや、加藤元浩（かとうもとひろ）の推理漫画「Q.E.D. 証明終了」を指すこともあり。

●交換殺人

Aが殺したい相手をBが殺し、Bが殺したい相手をAが殺すというように、殺意の対象を交換して行なう殺人。互いの犯行時間にアリバイを作れるといった利点があります。ヒッチコック監督によって映画化された、パトリシア・ハイスミス『見知らぬ乗客』がこのテーマの元祖とされています。

●信頼できない語り手

記憶が混濁していたり故意に情報を隠したりすることによって、読者に真実を伝えない語り手。叙述トリックの技法として、こうした語り手が選ばれることもあります。

●倒叙ミステリー

捜査側の視点で進行する一般的なミステリーに対し、犯人の視点から犯行過程などが描かれていく形式。テレビドラマの「刑事コロンボ」や「古畑任三郎」などでもお馴染みでしょう。フランシス・アイルズ『殺意』、F・W・クロフツ『クロイドン発12時30分』、リチャード・ハル『伯母殺人事件』が「世界三大倒叙」だとか。

●ハウダニット　Howdunit

「How done it」の略。「どのように犯行を行なったか」が興味の中心となるミステリーを指し、密室殺人などの不可能犯罪の解明に重きが置かれます。

●フーダニット　Whodunit

「Who done it」の略。「誰がやったのか」が興味の中心となるミステリーを指し、犯人当てを物語の主眼とします。

●フェアプレイ

「解決に必要な手がかりはあらかじめすべて提示する」「地の文に嘘を書いてはならない」など作者と読者との公正な勝負に必要なルールを指し、破るとアンフェアとされます。「ヴァン・ダインの二十則」や「ノックスの十戒」で明文化されました。

●ホワイダニット　Whydunit

「Why done it」の略。「なぜやったのか」が興味の中心となるミステリーを指し、犯人の動機の解明が重視されます。犯行動機だけに限らず、「なぜ密室を作ったのか」といった謎が扱われる場合も。

31 冊目

書名

著者

出版社

イラストレーター

装幀

帯のキャッチコピー

読書開始日

読了日

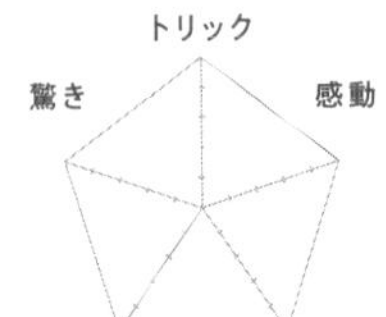

MEMO

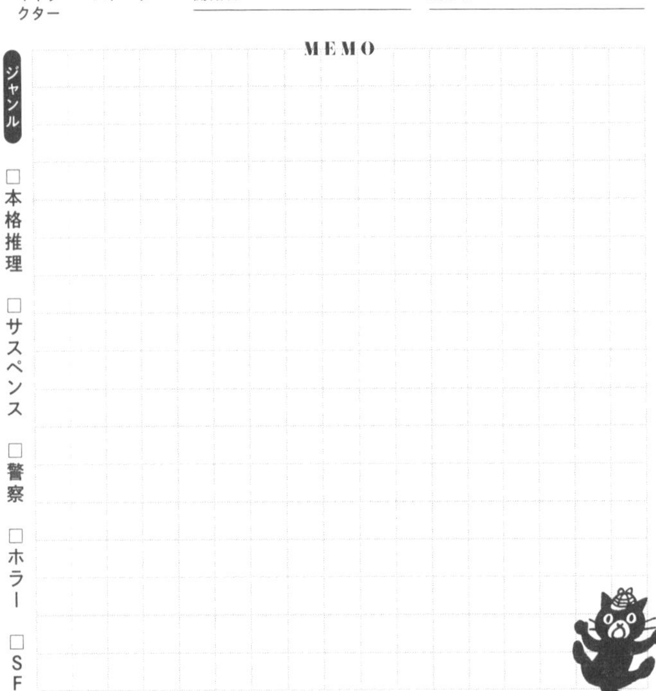

ジャンル

□本格推理

□サスペンス

□警察

□ホラー

□SF

32
冊目

書名

著者

出版社

イラスト
レーター

装幀

帯の
キャッチ
コピー

読書
開始日

読了日

トリック
感動
ストーリー
キャラ
クター
驚き

MEMO

ジャンル

□本格推理
□サスペンス
□警察
□ホラー
□SF

33
冊目

書名

著者　　出版社

イラストレーター　　装幀

帯のキャッチコピー

読書開始日　　読了日

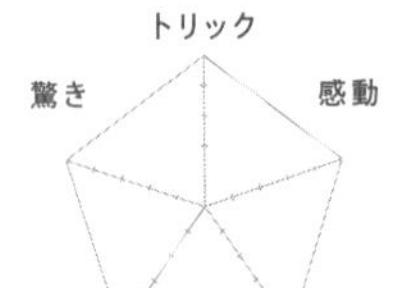

ジャンル

□本格推理
□サスペンス
□警察
□ホラー
□SF

MEMO

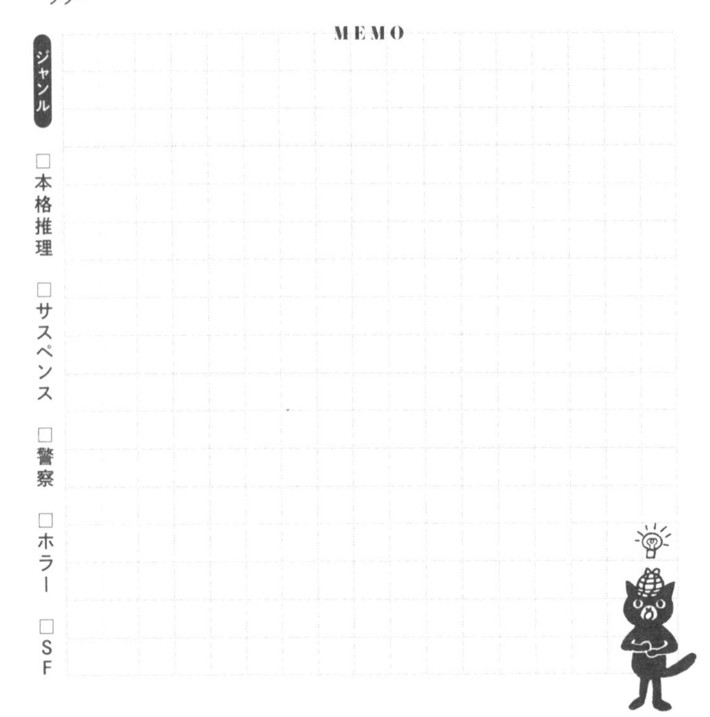

34
冊目

書名

著者

出版社

イラスト
レーター

装幀

帯の
キャッチ
コピー

読書
開始日

読了日

トリック
感動
ストーリー
キャラ
クター
驚き

ジャンル

□本格推理
□サスペンス
□警察
□ホラー
□SF

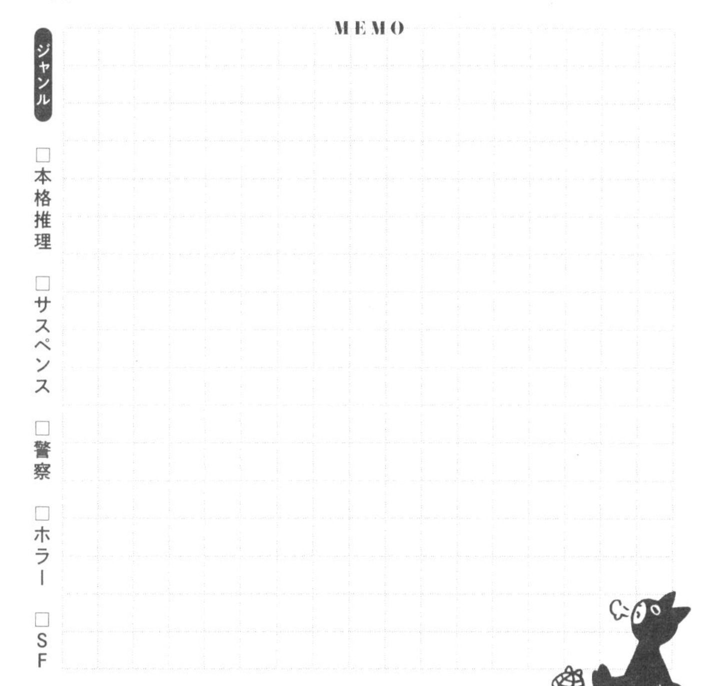

MEMO

35
冊目

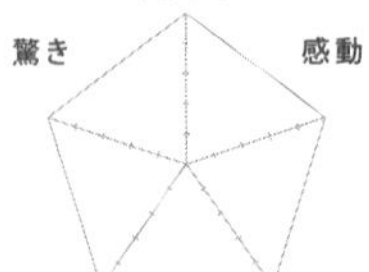

書名

著者

出版社

イラストレーター

装幀

帯のキャッチコピー

読書開始日

読了日

ジャンル

□本格推理
□サスペンス
□警察
□ホラー
□SF

MEMO

36 冊目

書名

著者

出版社

イラストレーター

装幀

帯のキャッチコピー

読書開始日

読了日

トリック
感動
ストーリー
キャラクター
驚き

MEMO

ジャンル

□本格推理
□サスペンス
□警察
□ホラー
□SF

37
冊目

書名

著者

出版社

イラストレーター

装幀

帯のキャッチコピー

読書開始日

読了日

トリック

感動

ストーリー

キャラクター

驚き

ジャンル

□本格推理

□サスペンス

□警察

□ホラー

□SF

MEMO

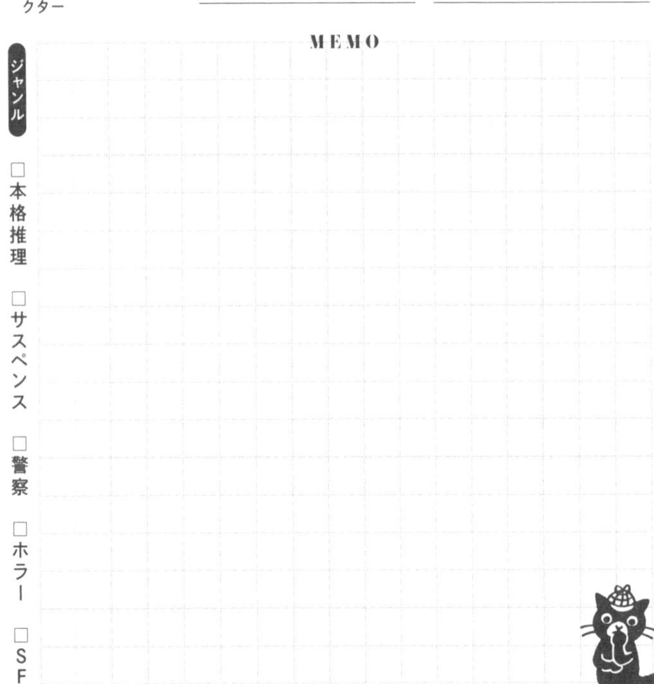

38
冊目

書名

著者　　出版社

イラストレーター　　装幀

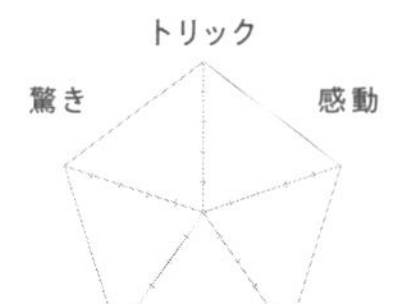

帯のキャッチコピー

読書開始日　　読了日

MEMO

ジャンル

□本格推理

□サスペンス

□警察

□ホラー

□SF

39
冊目

トリック
感動
ストーリー
キャラクター
驚き

書名

著者

出版社

イラストレーター

装幀

帯のキャッチコピー

読書開始日

読了日

MEMO

ジャンル

□本格推理

□サスペンス

□警察

□ホラー

□SF

40 冊目

書名

著者

出版社

イラストレーター

装幀

帯のキャッチコピー

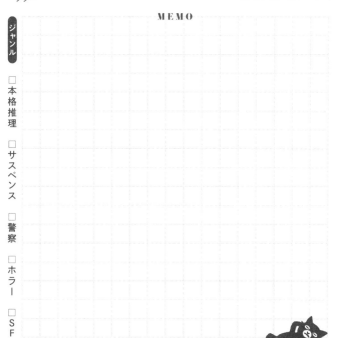

読書開始日

読了日

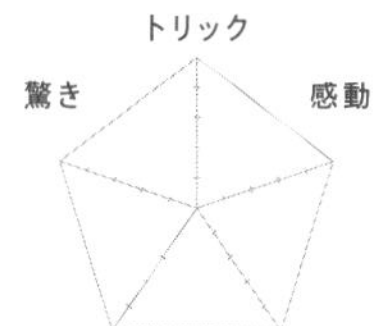

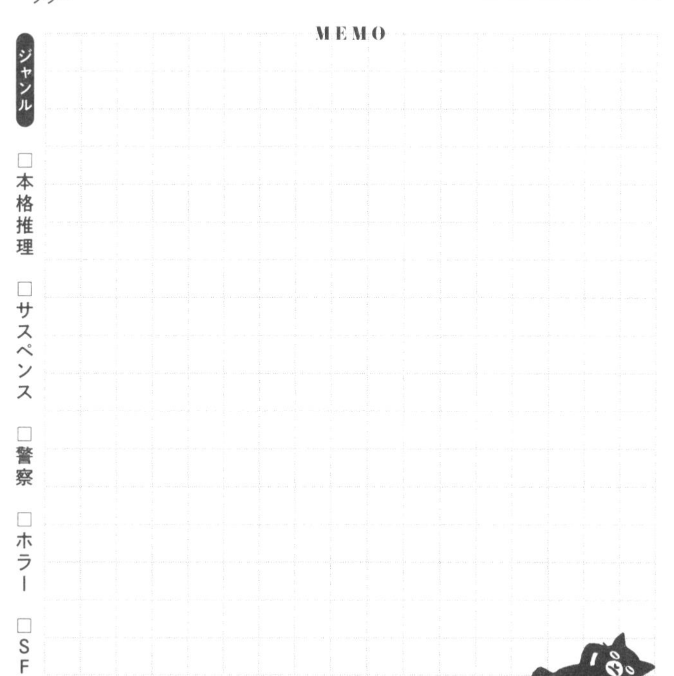

ジャンル

□本格推理

□サスペンス

□警察

□ホラー

□SF

これを読めば
＼ミステリー通！／
column
4

本格ミステリーの〈本格〉ってなに？ 編

“本格的な”ミステリーということ？ “本格的じゃない”ミステリーがあるということ？ 「本格ミステリー」とは何か、その謎を解き明かします！

日本の推理作家団体である本格ミステリ作家クラブは、〈本格〉が翻訳不可能な日本独自の概念であることから、発足時より正式な英語名称を「Honkaku Mystery Writers Club of Japan」としていました。現在では、横溝正史(よこみぞせいし)や島田荘司(しまだそうじ)の作品をはじめとして、日本発の〈Honkaku〉が欧米でも続々と翻訳出版され、好評をもって迎えられているようです。

ジャンルを深く意識したことがなければ、〈本格ミステリー〉(または本格探偵小説、本格推理小説)という言葉はあまり馴染みのないものでしょう。アメリカの「エラリー・クイーンズ・ミステリ・マガジン」がブログで〈Honkaku〉を取り上げた際は、ツイストの効いたプロットや結末のサプライズ、フェアプレイなどを意味する語だと紹介していました。しかし、ミステリーに多く親しんでいたとしても、なぜ〈本格〉というのかと問われれば答えに窮するかもしれません。そこで、このコラムでは〈本格〉の成り立ちについて紹介したいと思います。

大正13年、作家の佐藤春夫(さとうはるお)は「探偵小説小論」という文章の中で、「探偵小説の本質としては、論理的に相当の判断を下して問題の犯人を捜索するところにある」とし、犯罪小説などと区別して〈純粋な探偵小説〉と呼びました。翌年、作家の甲賀三郎(こうがさぶろう)がそうした特徴をもった作品を〈純正探偵小説〉とし、「原則として探索に従事する探偵の推察し得た事は悉く読者に知らさなければいけない」と規定します。それと前後して批評家の平林初之輔は、江戸川乱歩や小酒井不木、城昌幸、横溝の作品を「精神病理的、変態心理的側面の探索」に興味の中心があることから〈不健全派〉と命名、甲賀ら〈健全派〉と対置しました。この〈健全／不健全〉の区分と重なる形で、甲賀は乱歩作品をはじめとする通俗趣味的な探偵小説を〈変格〉、自身が正統と考える「純粋な論理的興味を重んずるもの」を〈本格〉と名付けます。これが今日〈本格ミステリー〉として定着している呼称の起源です。つまり、〈本格〉とは先行する〈変格〉を切り離すことで生まれた言葉であり、そうした歴史的経緯ゆえ、その概念は基本的に「日本独自の表現」であるといえるでしょう。

ちなみに〈新本格〉という用語は、マイクル・イネスやニコラス・ブレイク、ナイオ・マーシュなど、英米本格ミステリーの黄金時代（1920～30年代）以降に活躍した海外の作家を指して乱歩が呼んだ〈新本格派〉という括りがあったり、監修の松本清張がその序文で「本格に還れ」と宣言し、1966年から翌年にかけて刊行された書き下ろしのミステリー叢書「新本格推理小説全集」があったりしましたが、現在では一般的に、1987年に刊行された綾辻行人『十角館の殺人』を契機とする本格ミステリーブーム＝〈新本格ムーブメント〉を指す言葉として使われています。

41
冊目

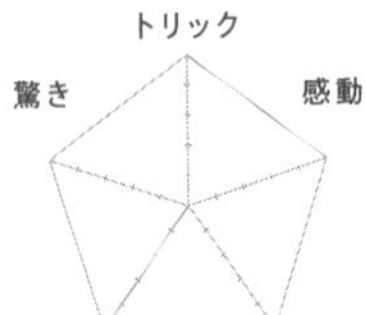

書名

著者

出版社

イラスト
レーター

装幀

帯の
キャッチ
コピー

読書
開始日

読了日

MEMO

ジャンル

□本格推理

□サスペンス

□警察

□ホラー

□SF

42
冊目

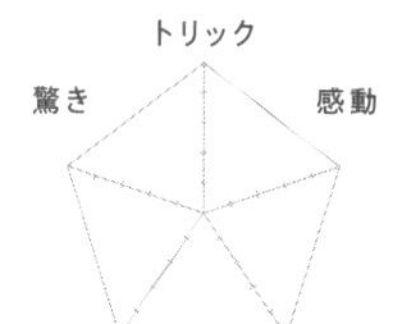

書名

著者

出版社

イラストレーター

装幀

帯のキャッチコピー

読書開始日

読了日

MEMO

ジャンル

□本格推理

□サスペンス

□警察

□ホラー

□SF

43
冊目

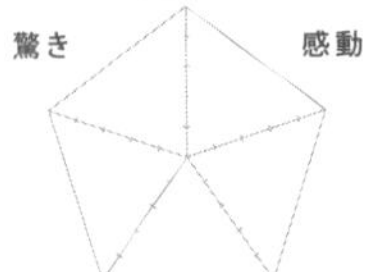

書名

著者

出版社

イラストレーター

装幀

帯のキャッチコピー

読書開始日

読了日

MEMO

ジャンル

- □本格推理
- □サスペンス
- □警察
- □ホラー
- □SF

44
冊目

書名

著者

出版社

イラストレーター

装幀

帯のキャッチコピー

読書開始日

読了日

トリック
感動
ストーリー
キャラクター
驚き

MEMO

ジャンル

□本格推理

□サスペンス

□警察

□ホラー

□SF

45
冊目

書名

著者

出版社

イラスト
レーター

装幀

帯の
キャッチ
コピー

読書
開始日

読了日

トリック

驚き

感動

キャラ
クター

ストーリー

MEMO

ジャンル

□本格推理

□サスペンス

□警察

□ホラー

□SF

46
冊目

書名

著者

出版社

イラスト
レーター

装幀

トリック

驚き

感動

キャラ
クター

ストーリー

帯の
キャッチ
コピー

読書
開始日

読了日

MEMO

ジャンル

□本格推理

□サスペンス

□警察

□ホラー

□SF

47
冊目

書名

著者　出版社

イラストレーター　装幀

帯のキャッチコピー

読書開始日　読了日

トリック
驚き
感動
キャラクター
ストーリー

MEMO

ジャンル

□本格推理
□サスペンス
□警察
□ホラー
□SF

48
冊目

トリック
驚き
感動
キャラクター
ストーリー

書名

著者

出版社

イラストレーター

装幀

帯のキャッチコピー

読書開始日

読了日

MEMO

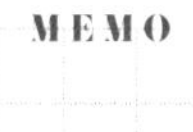

ジャンル

□本格推理

□サスペンス

□警察

□ホラー

□SF

49
冊目

書名

著者

出版社

イラスト
レーター

装幀

帯の
キャッチ
コピー

読書
開始日

読了日

トリック
感動
ストーリー
キャラ
クター
驚き

ジャンル

□本格推理
□サスペンス
□警察
□ホラー
□SF

MEMO

50
冊目

書名

著者

出版社

イラスト
レーター

装幀

帯の
キャッチ
コピー

読書
開始日

読了日

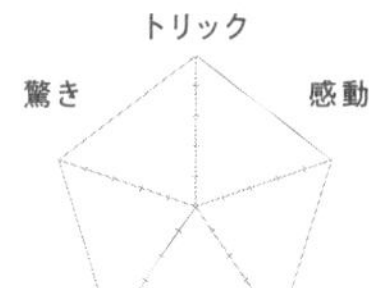

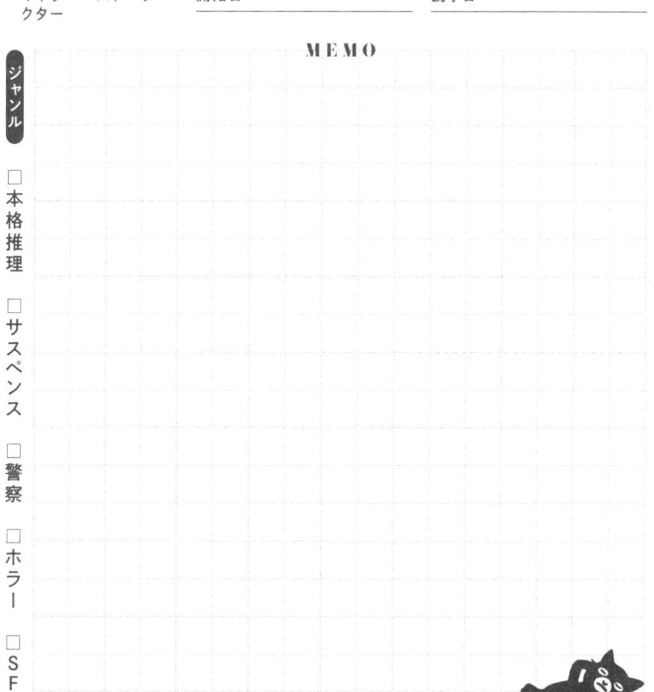

ジャンル

□本格推理

□サスペンス

□警察

□ホラー

□SF

これを読めば
＼ミステリー通！／
column
5

文学賞編

本を手に取るきっかけのひとつに、「●●賞受賞」や「◆◆1位」等の肩書きを参考にしたこともあるのではないでしょうか。このコラムでは、ミステリーの賞と、ランキングについてご紹介します。

ミステリー作家の名を冠した新人賞といえば、ミステリーの奨励を目的として江戸川乱歩の寄付金をもとに創設された江戸川乱歩賞が世間的によく知られているでしょう。東野圭吾や池井戸潤、桐野夏生に高野和明、呉勝浩など、第一線で活躍する人気作家を数多く輩出してきた、ミステリー作家の登竜門ともいわれる公募新人賞です。

他には、鈴木光司『リング』が最終候補となったことでも有名な横溝正史ミステリ&ホラー大賞や、本格ミステリーに特化した鮎川哲也賞、加えて松本清張賞やアガサ・クリスティー賞、短編賞の北区内田康夫ミステリー文学賞があります。その他、年末のミステリーランキング本『このミステリーがすごい！』に参加する書評家が選考委員を務める『このミステリーがすごい！』大賞、島田荘司が一人で最終選考を行なうばらのまち福山ミステリー文学新人賞、それに日本ミステリー文学大賞新人賞、新潮ミステリー大賞、メフィスト賞、警察小説新人賞、論創ミステリ大賞、黒猫ミステリー賞が長編を公募している新人賞です。「賞」とは付いていませんが、本格ミステリーのみを対象とした公募新人発掘企画カッパ・ツーも新人賞のひとつといえるかもしれません。短編を公募しているものとしては、小説推理新人賞、大藪春彦新人賞、創元ミステリ短編賞の三つがあります。

日本で発表されたミステリー小説のうち、年間最優秀作品に授与されるのが日本推理作家協会賞です。乱歩賞を主催する日本推理作家協会が、1947年の発足より主要事業として続けていて、ミステリー小説の賞としては世界的にも古く長い歴史を持っています。同様の趣旨で、対象を本格ミステリーに限ったのが本格ミステリ大賞。こちらは本格ミステリ作家クラブが主催しています。優れたハードボイルド・冒険小説に与えられるのが大藪春彦賞、ジャンルを問わず有望な作家の作品に与えられるのが山田風太郎賞、ミステリーの発展に寄与した作家を顕彰するのが日本ミステリー文学大賞です。

また、前述の『このミステリーがすごい!』のようなランキングも複数あります。最も古いのは「週刊文春」が年末に発表している「ミステリーベスト10」で、当初は日本推理作家協会の会員が主に投票していたこのランキングへのアンチテーゼとして、在野の批評家やファンコミュニティが中心となって出来たのが『このミステリーがすごい!』です。そこからさらに、対象を本格ミステリーに絞った『本格ミステリ・ベスト10』や、早川書房の「ミステリマガジン」誌上に掲載される「ミステリが読みたい!」といったランキングが後発で生まれました。

(情報は2023年12月時点のもの)

51
冊目

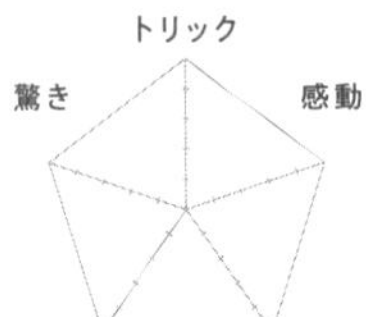

書名

著者

出版社

イラストレーター

装幀

帯のキャッチコピー

読書開始日

読了日

ジャンル

□本格推理
□サスペンス
□警察
□ホラー
□SF

MEMO

冊目

書名

著者

出版社

イラスト
レーター

装幀

帯の
キャッチ
コピー

読書
開始日

読了日

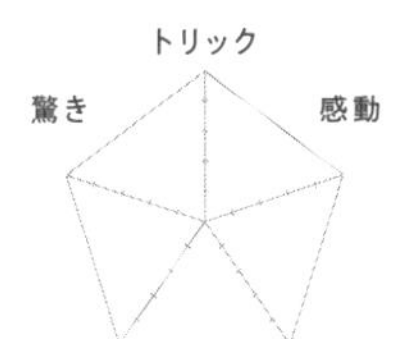

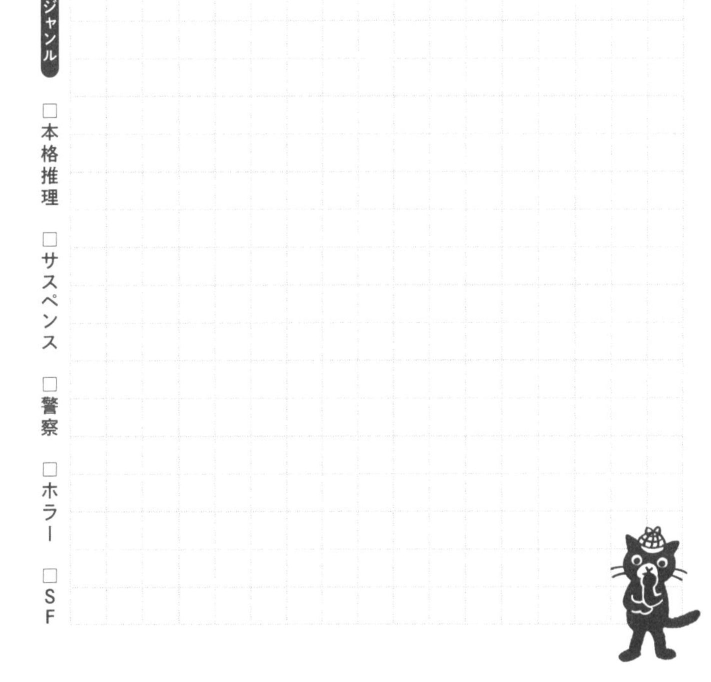

53 冊目

書名

著者　　出版社

イラストレーター　　装幀

帯のキャッチコピー

読書開始日　　読了日

トリック
感動
ストーリー
キャラクター
驚き

MEMO

ジャンル

□本格推理
□サスペンス
□警察
□ホラー
□SF

54
冊目

書名

著者

出版社

イラスト
レーター

装幀

帯の
キャッチ
コピー

読書
開始日

読了日

トリック
感動
ストーリー
キャラ
クター
驚き

MEMO

ジャンル

□本格推理

□サスペンス

□警察

□ホラー

□SF

55冊目

書名

著者

出版社

トリック
驚き
感動
キャラクター
ストーリー

イラストレーター

装幀

帯のキャッチコピー

読書開始日

読了日

MEMO

ジャンル

□本格推理

□サスペンス

□警察

□ホラー

□SF

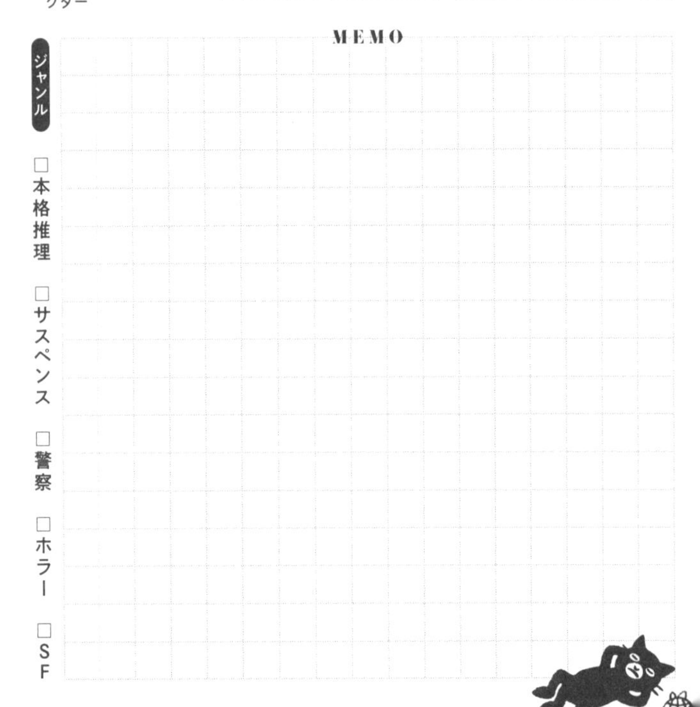

56
冊目

書名

著者

出版社

イラストレーター

装幀

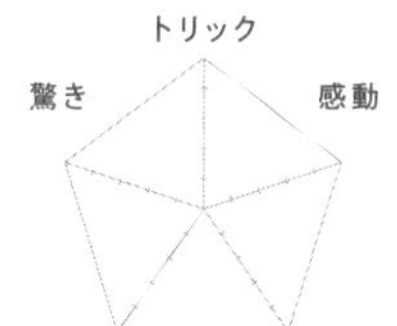

帯のキャッチコピー

読書開始日

読了日

MEMO

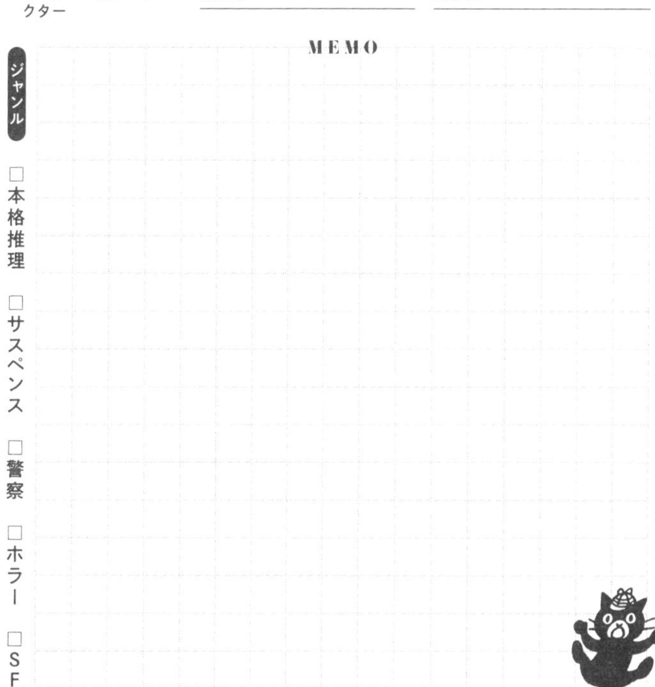

ジャンル

□本格推理
□サスペンス
□警察
□ホラー
□SF

冊目

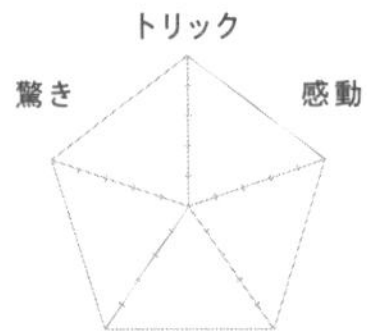

書名

著者

出版社

イラストレーター

装幀

帯のキャッチコピー

読書開始日

読了日

MEMO

ジャンル

□本格推理

□サスペンス

□警察

□ホラー

□SF

58
冊目

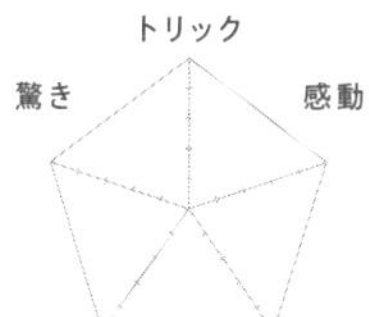

書名

著者

出版社

イラストレーター

装幀

帯のキャッチコピー

読書開始日

読了日

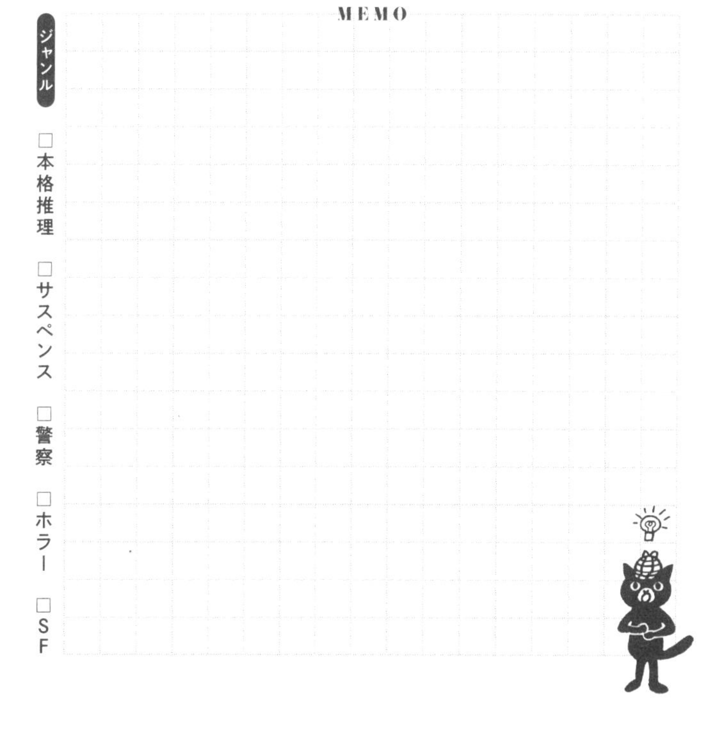

59 冊目

書名

著者

出版社

イラストレーター

装幀

帯のキャッチコピー

読書開始日

読了日

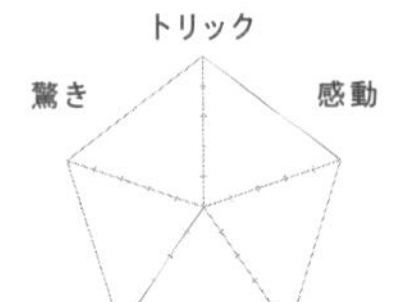

ジャンル

□本格推理

□サスペンス

□警察

□ホラー

□SF

MEMO

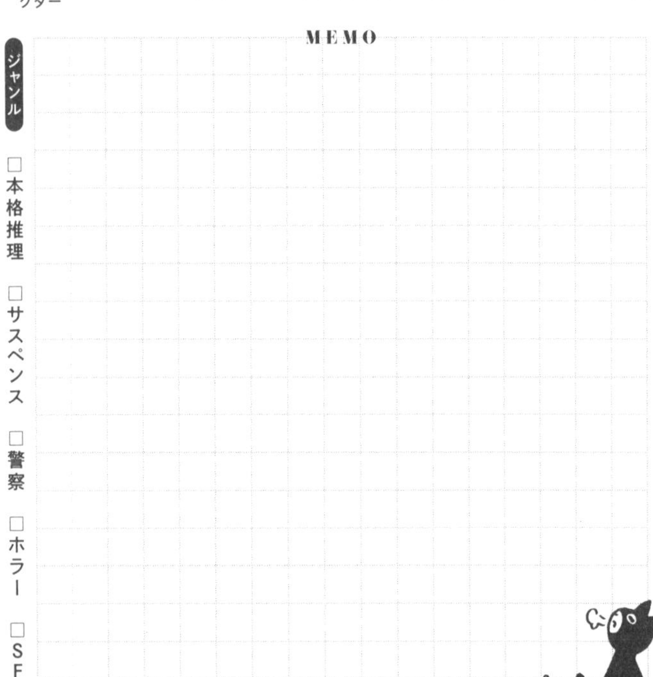

冊目

書名

著者

出版社

トリック

驚き

感動

キャラクター

ストーリー

イラストレーター

装幀

帯のキャッチコピー

読書開始日

読了日

MEMO

ジャンル

□本格推理

□サスペンス

□警察

□ホラー

□SF

これを読めば
＼ミステリー通！／
column
6

用語解説 編 (vol.3)

ミステリーにまつわる解説やエッセイを読んでいると、今まで見たことも聞いたこともない単語に出会うことがあるはずです。知っていれば、もっとミステリーが楽しめるかも!?

●奇妙な味

江戸川乱歩による造語で、論理的な謎解きを主眼とせず、独特のユーモアや不気味な読後感を特徴とする短編小説を指し、ロード・ダンセイニ「二壜（ふたびん）の調味料」やサキ「開いた窓」などが古典として知られます。

●スリーピング・マーダー

「眠っている殺人」という直訳どおり、未解決であったり、一度決着はついたものの全ての真実が明らかになっていない過去の殺人事件を掘り起こし、調査していく物語。「回想の殺人」ともいい、アガサ・クリスティーが得意としたテーマです（ポアロものの『五匹の子豚』や用語の由来でもあるミス・マープル最後の作品『スリーピング・マーダー』などが有名）。

●バールストン先行法（ギャンビット）

評論家フランシス・M・ネヴィンズJrの造語で、真犯人である人物をすでに死んでしまったかのように見せかけ、読者が容疑者リストからその人物を外すようにしむける手法。「ギャンビット」はポーンを犠牲にして盤面の主導権を得ることを指すチェス用語、「バールストン」はコナン・ドイル『恐怖の谷』に登場する屋敷の名に由来します。

……

●最後の一撃

読者に衝撃を与える最後の一行。読者の思い込みを覆すような驚愕の真相が明かされるといったどんでん返しのほか、落語のオチのように物語を締めくくる一言を指す場合もあります。ズバリ「ラスト一行の衝撃」を謳った米澤穂信の短編集『儚い羊たちの祝宴』や、最後の一行で犯人の名前が明かされるエラリー・クイーン『フランス白粉の謎』がその好例といえるでしょう。

●蓋然性の犯罪

「もしかしたら事故にあって死ぬかもしれない」という状況をお膳立てすることで、確実性には欠けるものの疑われずに相手を殺す手段。江戸川乱歩が谷崎潤一郎の犯罪小説「途上」に見出し、「画期的なトリック」だと感銘を受け、自らもこれを扱った「赤い部屋」という短編を執筆しました。

●見立て殺人

歌や伝説になぞらえて行なわれた殺人。例えば横溝正史の『獄門島』では芭蕉の俳句に見立てて死体や殺害現場が装飾されています。童謡に見立てた場合は特に「童謡殺人」と呼ばれ、ヴァン・ダイン『僧正殺人事件』やアガサ・クリスティー『そして誰もいなくなった』など有名な作例が多いです。

●赤い鰊

奇術用語でいうミスディレクションに当たり、読者の注意を逸らすために作者が仕掛ける偽の手がかりなどを指す言葉。ドロシー・L・セイヤーズ『五匹の赤い鰊』では真犯人以外の怪しげな人物の意で使われています。近年まで猟犬の訓練に用いられた鰊に由来するとされていましたが、実際にはそんな訓練はないのだとか。

61
冊目

書名

著者

出版社

イラストレーター

装幀

帯のキャッチコピー

読書開始日

読了日

トリック

感動

ストーリー

キャラクター

驚き

MEMO

ジャンル

□本格推理

□サスペンス

□警察

□ホラー

□SF

62
冊目

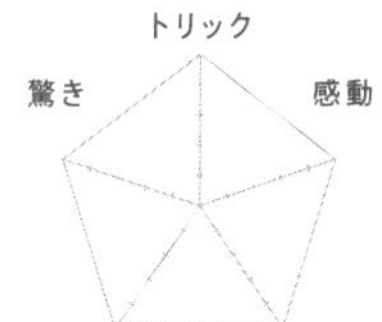

書名

著者

出版社

イラストレーター

装幀

帯のキャッチコピー

読書開始日

読了日

MEMO

ジャンル

□本格推理

□サスペンス

□警察

□ホラー

□SF

63 冊目

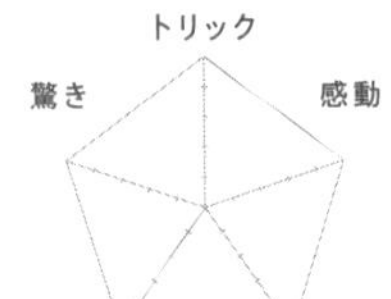

書名

著者

出版社

イラストレーター

装幀

帯のキャッチコピー

読書開始日

読了日

MEMO

ジャンル

□本格推理

□サスペンス

□警察

□ホラー

□SF

64
冊目

書名

著者

出版社

イラスト
レーター

装幀

トリック

驚き

感動

キャラ
クター

ストーリー

帯の
キャッチ
コピー

読書
開始日

読了日

MEMO

ジャンル

□本格推理

□サスペンス

□警察

□ホラー

□SF

冊目

書名

著者

出版社

イラストレーター

装幀

帯のキャッチコピー

読書開始日

読了日

トリック
感動
ストーリー
キャラクター
驚き

MEMO

ジャンル

□本格推理
□サスペンス
□警察
□ホラー
□SF

66
冊目

書名

著者

出版社

イラスト
レーター

装幀

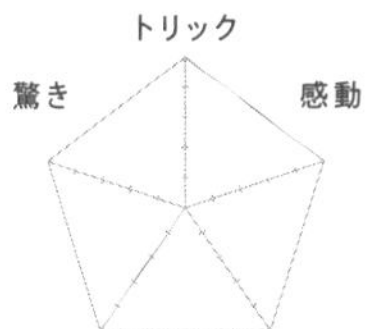

キャラ
クター

ストーリー

帯の
キャッチ
コピー

読書
開始日

読了日

MEMO

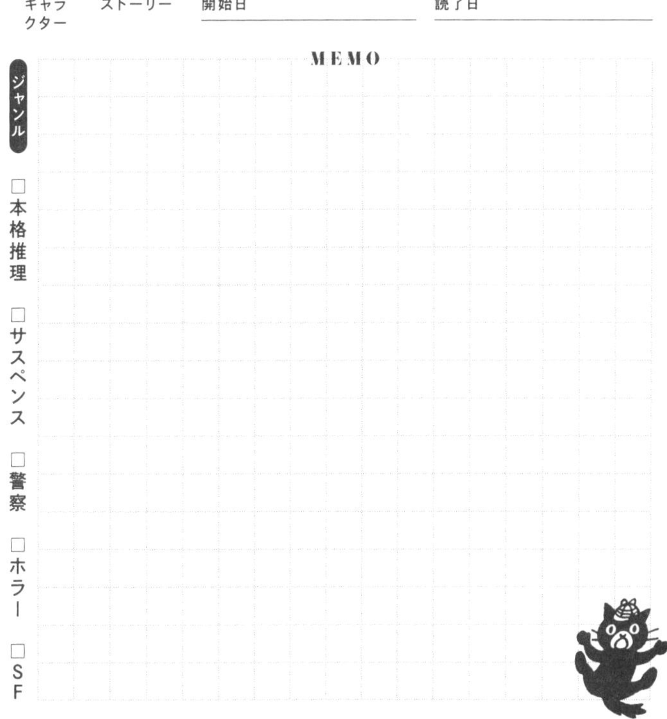

ジャンル

□本格推理

□サスペンス

□警察

□ホラー

□SF

67 冊目

書名

著者

出版社

イラストレーター

装幀

帯のキャッチコピー

読書開始日

読了日

トリック
感動
ストーリー
キャラクター
驚き

MEMO

ジャンル

□本格推理
□サスペンス
□警察
□ホラー
□SF

冊目

書名

著者

出版社

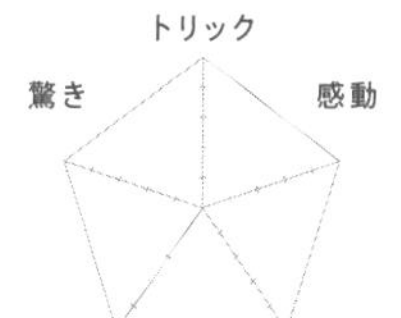

イラストレーター

装幀

帯のキャッチコピー

読書開始日

読了日

MEMO

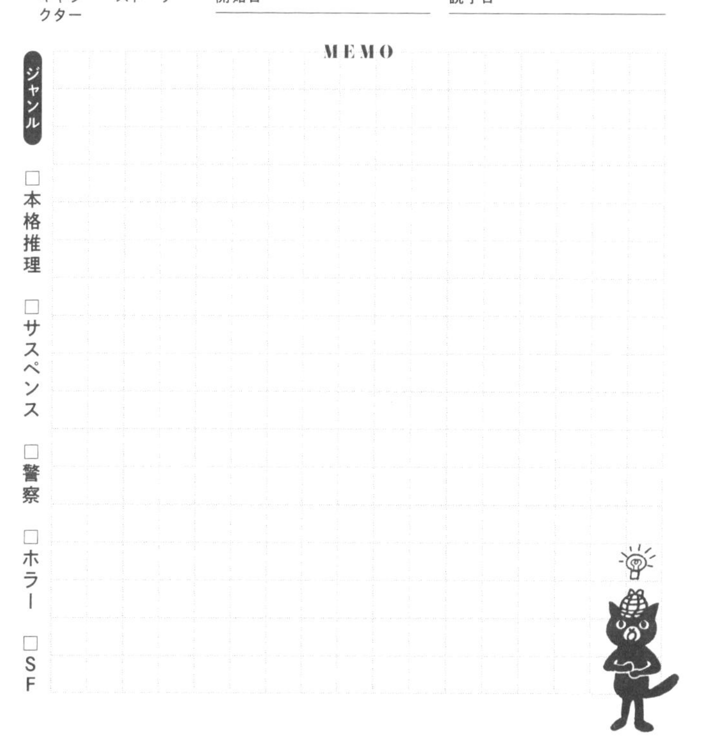

ジャンル

□本格推理

□サスペンス

□警察

□ホラー

□SF

69
冊目

書名

著者

出版社

イラスト
レーター

装幀

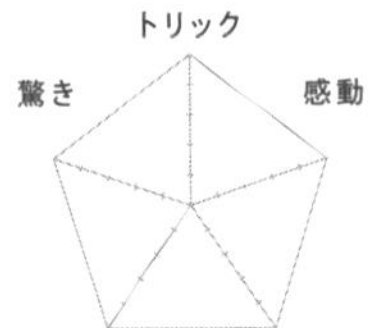

帯の
キャッチ
コピー

読書
開始日

読了日

MEMO

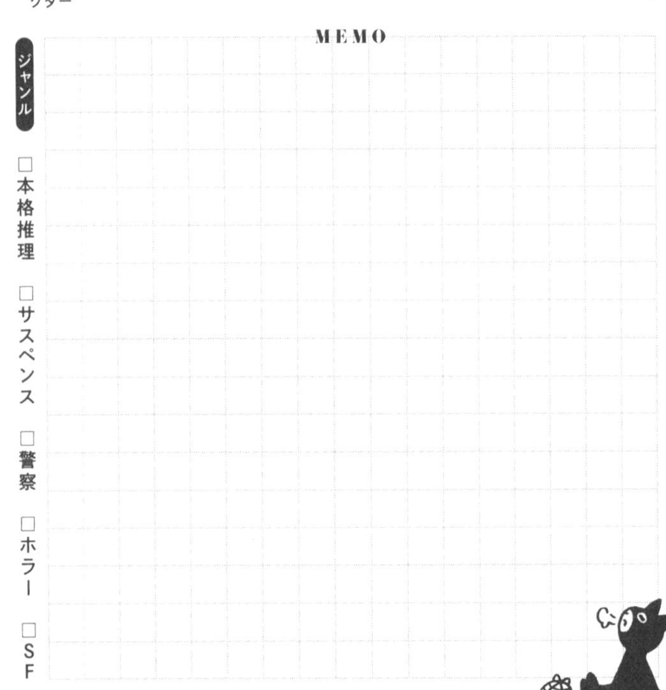

ジャンル

□本格推理

□サスペンス

□警察

□ホラー

□SF

冊目

書名

著者

出版社

イラスト
レーター

装幀

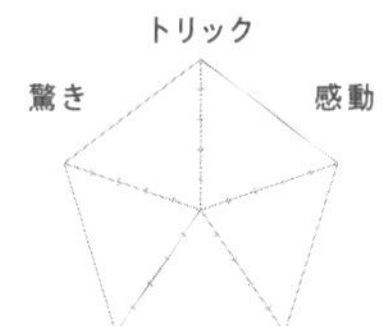

帯の
キャッチ
コピー

読書
開始日

読了日

MEMO

ジャンル

□本格推理

□サスペンス

□警察

□ホラー

□SF

これを読めば
\ ミステリー通! /
column
7

国内ランキング編

その年で面白かったミステリー小説を、読書のプロ達が選んだランキングブック『このミステリーがすごい!』。1988年から2023年版までの国内編1位作品を一挙公開します!

年版	タイトル	著者	出版社
'23年版	爆弾	呉 勝浩	講談社
'22年版	黒牢城	米澤穂信	角川書店
'21年版	たかが殺人じゃないか	辻 真先	東京創元社
'20年版	medium 霊媒探偵城塚翡翠	相沢沙呼	講談社
'19年版	それまでの明日	原 尞	早川書房
'18年版	屍人荘の殺人	今村昌弘	東京創元社
'17年版	涙香迷宮	竹本健治	講談社
'16年版	王とサーカス	米澤穂信	東京創元社
'15年版	満願	米澤穂信	新潮社
'14年版	ノックス・マシン	法月綸太郎	角川書店
'13年版	64〈ロクヨン〉	横山秀夫	文藝春秋
'12年版	ジェノサイド	高野和明	角川書店
'11年版	悪の教典	貴志祐介	文藝春秋
'10年版	新参者	東野圭吾	講談社
'09年版	ゴールデンスランバー	伊坂幸太郎	新潮社

年版	タイトル	著者	出版社
'08年版	警官の血	佐々木 譲	新潮社
'07年版	独白するユニバーサル横メルカトル	平山夢明	光文社
'06年版	容疑者χの献身	東野圭吾	文藝春秋
'05年版	生首に聞いてみろ	法月綸太郎	角川書店
'04年版	葉桜の季節に君を想うということ	歌野晶午	文藝春秋
'03年版	半落ち	横山秀夫	講談社
'02年版	模倣犯	宮部みゆき	小学館
'01年版	奇術探偵 曾我佳城全集	泡坂妻夫	講談社
'00年版	永遠の仔	天童荒太	幻冬舎
'99年版	レディ・ジョーカー	髙村 薫	毎日新聞社
'98年版	OUT	桐野夏生	講談社
'97年版	不夜城	馳 星周	角川書店
'96年版	ホワイトアウト	真保裕一	新潮社
'95年版	ミステリーズ	山口雅也	講談社
'94年版	マークスの山	髙村 薫	早川書房
'93年版	砂のクロニクル	船戸与一	新潮社
'92年版	行きずりの街	志水辰夫	新潮社
'91年版	新宿鮫	大沢在昌	光文社
'89	私が殺した少女	原 尞	早川書房
'88	伝説なき地	船戸与一	講談社

※各年の『このミステリーがすごい!』出版当時の版元で掲載しています

冊目

書名

著者

出版社

イラストレーター

装幀

帯のキャッチコピー

読書開始日

読了日

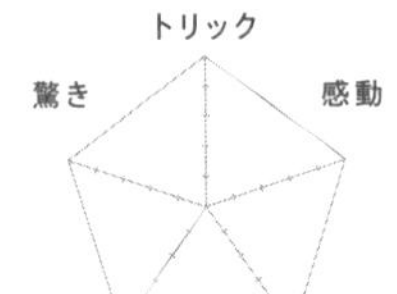

MEMO

ジャンル

□本格推理

□サスペンス

□警察

□ホラー

□SF

72 冊目

書名

著者

出版社

イラストレーター

装幀

帯のキャッチコピー

読書開始日

読了日

トリック
感動
ストーリー
キャラクター
驚き

MEMO

ジャンル

□本格推理
□サスペンス
□警察
□ホラー
□SF

73
冊目

書名

著者

出版社

イラストレーター

装幀

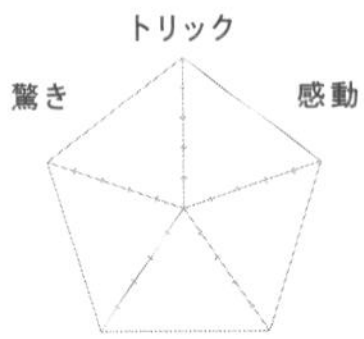

帯のキャッチコピー

読書開始日

読了日

MEMO

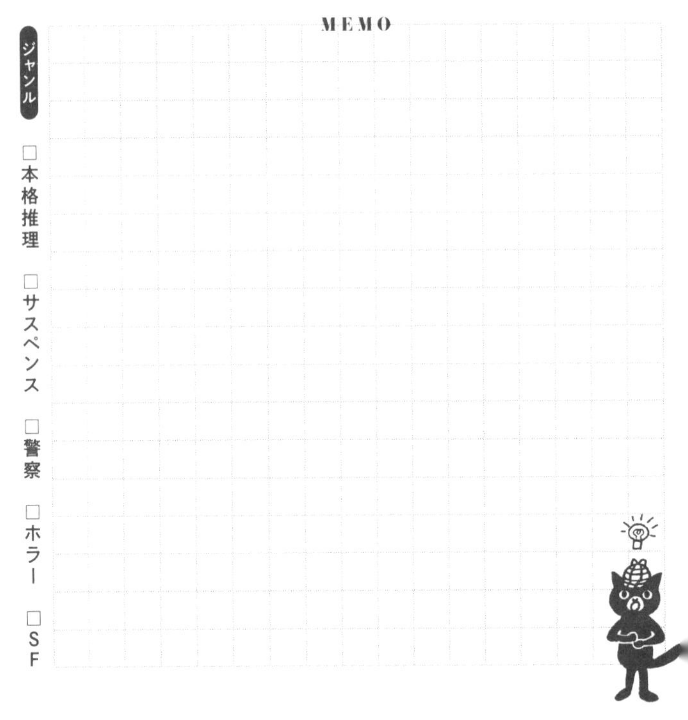

74 冊目

書名

著者

出版社

イラストレーター

装幀

帯のキャッチコピー

読書開始日

読了日

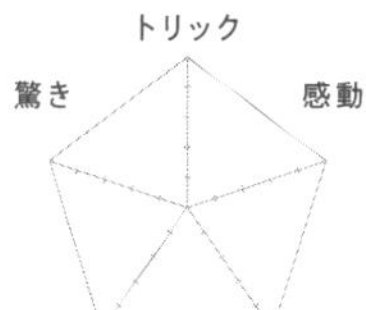

MEMO

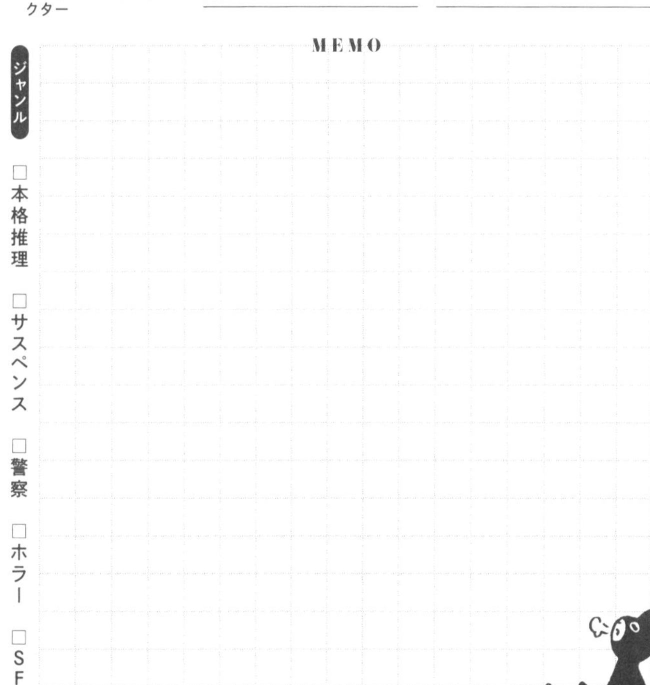

ジャンル

□本格推理

□サスペンス

□警察

□ホラー

□SF

冊目

書名

著者

出版社

イラストレーター

装幀

帯のキャッチコピー

読書開始日

読了日

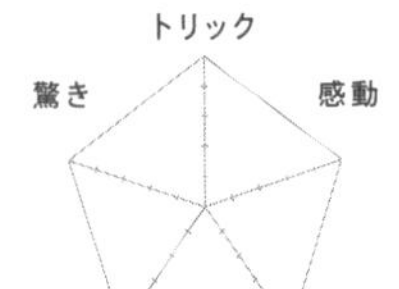

MEMO

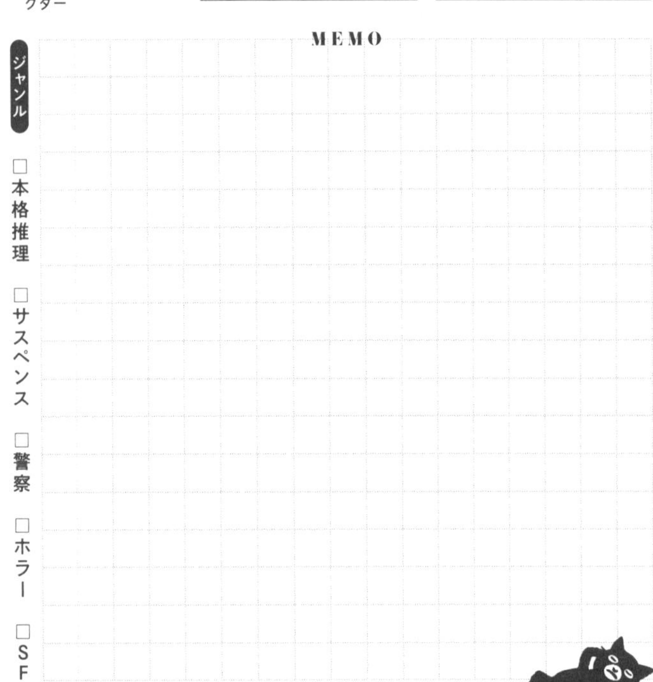

ジャンル

- □本格推理
- □サスペンス
- □警察
- □ホラー
- □SF

冊目

書名

著者

出版社

イラスト
レーター

装幀

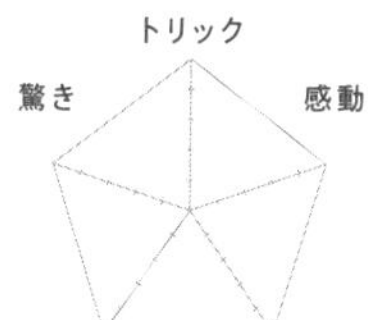

帯の
キャッチ
コピー

読書
開始日

読了日

MEMO

ジャンル

□本格推理

□サスペンス

□警察

□ホラー

□SF

冊目

書名

著者

出版社

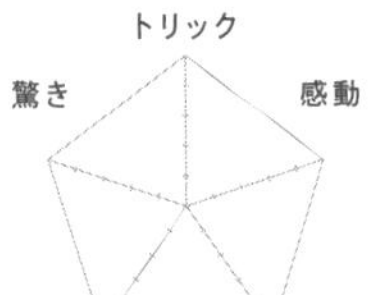

イラストレーター

装幀

帯のキャッチコピー

読書開始日

読了日

MEMO

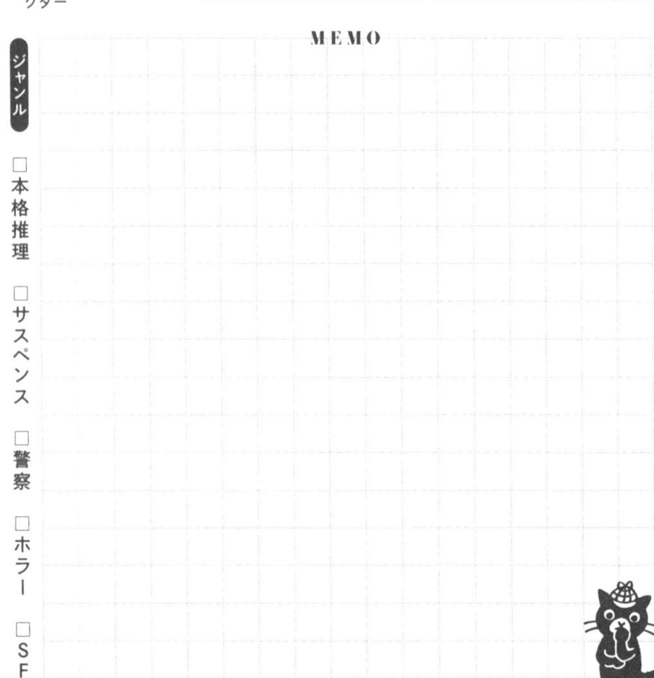

78
冊目

書名

著者
出版社

イラスト
レーター
装幀

帯の
キャッチ
コピー

読書
開始日
読了日

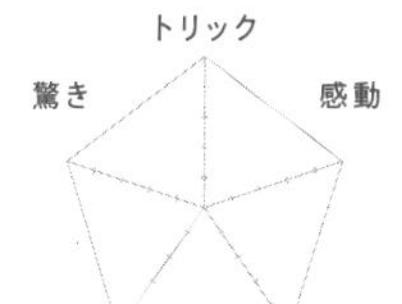

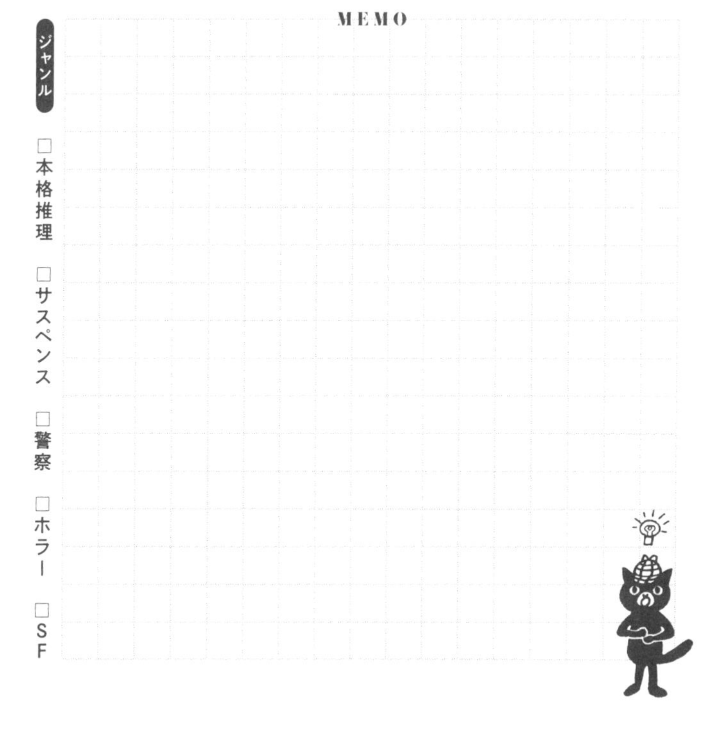

79 冊目

書名

著者

出版社

イラストレーター

装幀

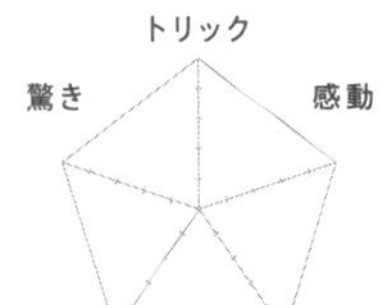

帯のキャッチコピー

読書開始日

読了日

ジャンル

□本格推理
□サスペンス
□警察
□ホラー
□SF

MEMO

冊目

書名

著者

出版社

イラストレーター

装幀

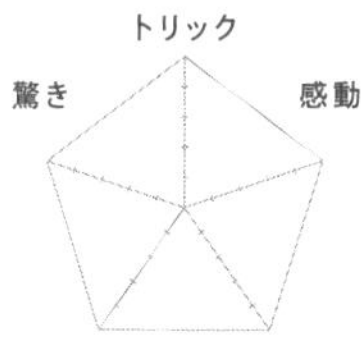

帯のキャッチコピー

読書開始日

読了日

MEMO

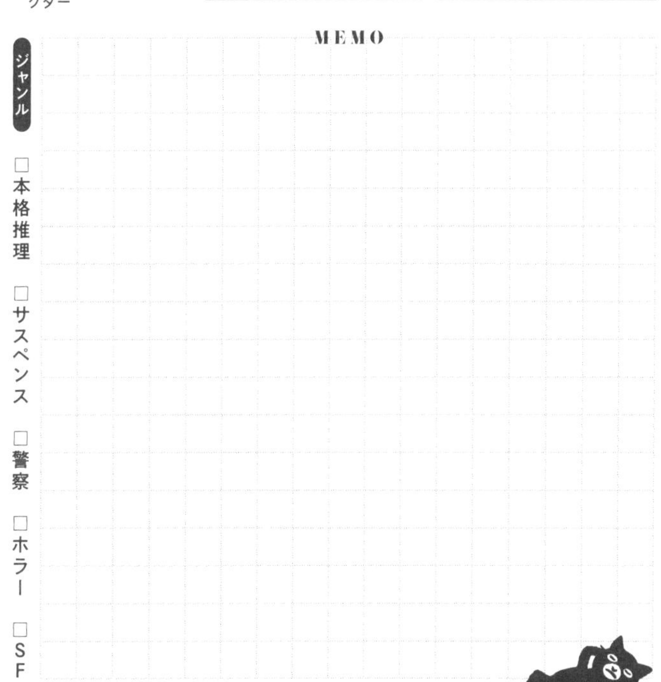

これを読めば
＼ミステリー通！／
column
8

海外ランキング 編

その年で面白かったミステリー小説を、読書のプロ達が選んだランキングブック『このミステリーがすごい！』。1988年から2023年版までの海外編1位作品を一挙公開します！

年版	タイトル	著者	出版社
'23年版	われら闇より天を見る	クリス・ウィタカー	早川書房
'22年版	ヨルガオ殺人事件	アンソニー・ホロヴィッツ	東京創元社
'21年版	その裁きは死	アンソニー・ホロヴィッツ	東京創元社
'20年版	メインテーマは殺人	アンソニー・ホロヴィッツ	東京創元社
'19年版	カササギ殺人事件	アンソニー・ホロヴィッツ	東京創元社
'18年版	フロスト始末	R・D・ウィングフィールド	東京創元社
'17年版	熊と踊れ	アンデシュ・ルースルンド ステファン・トゥンベリ	早川書房
'16年版	スキン・コレクター	ジェフリー・ディーヴァー	文藝春秋
'15年版	その女アレックス	ピエール・ルメートル	文藝春秋
'14年版	11/22/63	スティーヴン・キング	文藝春秋
'13年版	解錠師	スティーヴ・ハミルトン	早川書房
'12年版	二流小説家	デイヴィッド・ゴードン	早川書房
'11年版	愛おしい骨	キャロル・オコンネル	東京創元社
'10年版	犬の力	ドン・ウィンズロウ	角川書店
'09年版	チャイルド44	トム・ロブ・スミス	新潮社

年版	タイトル	著者	出版社
'08年版	ウォッチメイカー	ジェフリー・ディーヴァー	文藝春秋
'07年版	あなたに不利な証拠として	ローリー・リン・ドラモンド	早川書房
'06年版	クライム・マシン	ジャック・リッチー	晶文社
'05年版	荊の城	サラ・ウォーターズ	東京創元社
'04年版	半身	サラ・ウォーターズ	東京創元社
'03年版	飛蝗の農場	ジェレミー・ドロンフィールド	東京創元社
'02年版	神は銃弾	ボストン・テラン	文藝春秋
'01年版	ポップ1280	ジム・トンプスン	扶桑社
'00年版	極大射程	スティーヴン・ハンター	新潮社
'99年版	フリッカー、あるいは映画の魔	セオドア・ローザック	文藝春秋
'98年版	フロスト日和	R・D・ウィングフィールド	東京創元社
'97年版	死の蔵書	ジョン・ダニング	早川書房
'96年版	女彫刻家	ミネット・ウォルターズ	東京創元社
'95年版	シンプル・プラン	スコット・スミス	扶桑社
'94年版	ストーン・シティ	ミッチェル・スミス	新潮社
'93年版	骨と沈黙	レジナルド・ヒル	早川書房
'92年版	策謀と欲望	P・D・ジェイムズ	早川書房
'91年版	薔薇の名前	ウンベルト・エーコ	東京創元社
'89	羊たちの沈黙	トマス・ハリス	新潮社
'88	夢果つる街	トレヴェニアン	角川書店

※各年の『このミステリーがすごい!』出版当時の版元で掲載しています

81
冊目

書名

著者

出版社

イラスト
レーター

装幀

帯の
キャッチ
コピー

読書
開始日

読了日

トリック

感動

ストーリー

キャラ
クター

驚き

MEMO

ジャンル

□本格推理

□サスペンス

□警察

□ホラー

□SF

82
冊目

書名

著者

出版社

イラストレーター

装幀

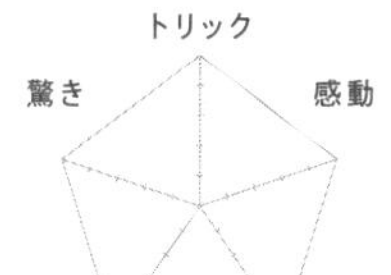

帯のキャッチコピー

読書開始日

読了日

MEMO

ジャンル

□本格推理

□サスペンス

□警察

□ホラー

□SF

83
冊目

書名

著者

出版社

イラスト
レーター

装幀

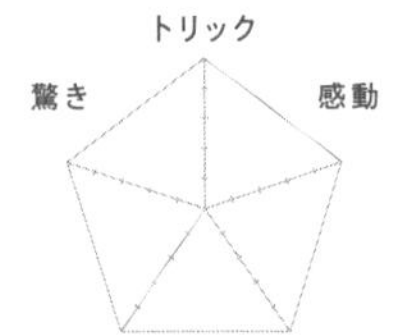

帯の
キャッチ
コピー

読書
開始日

読了日

MEMO

ジャンル

□本格推理
□サスペンス
□警察
□ホラー
□SF

84 冊目

書名

著者

出版社

イラストレーター

装幀

帯のキャッチコピー

読書開始日

読了日

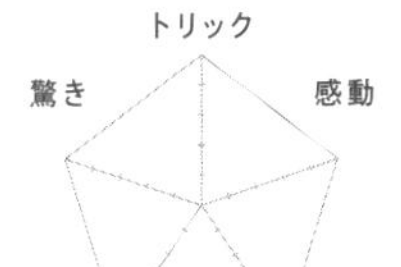

ジャンル

□本格推理

□サスペンス

□警察

□ホラー

□SF

MEMO

85
冊目

書名

著者

出版社

イラスト
レーター

装幀

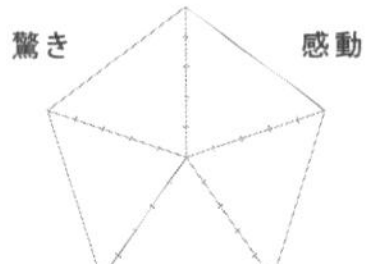

帯の
キャッチ
コピー

読書
開始日

読了日

□本格推理

□サスペンス

□警察

□ホラー

□SF

MEMO

86 冊目

書名

著者

出版社

イラストレーター

装幀

帯のキャッチコピー

読書開始日

読了日

トリック
感動
ストーリー
キャラクター
驚き

ジャンル

□本格推理

□サスペンス

□警察

□ホラー

□SF

冊目

書名

著者

出版社

イラストレーター

装幀

帯のキャッチコピー

読書開始日

読了日

トリック
感動
ストーリー
キャラクター
驚き

MEMO

ジャンル

□本格推理

□サスペンス

□警察

□ホラー

□SF

書名

著者

出版社

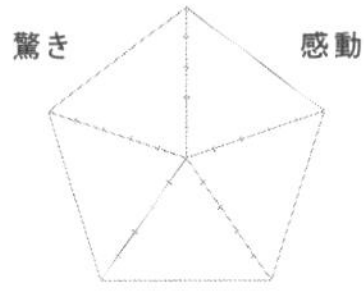

イラストレーター

装幀

帯のキャッチコピー

読書開始日

読了日

MEMO

ジャンル

□本格推理
□サスペンス
□警察
□ホラー
□SF

89 冊目

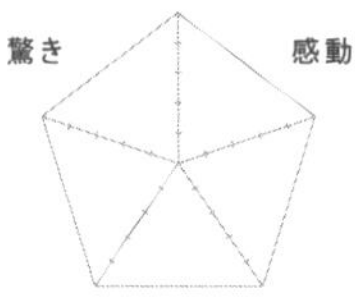

書名

著者

出版社

イラストレーター

装幀

帯のキャッチコピー

読書開始日

読了日

MEMO

ジャンル

□本格推理
□サスペンス
□警察
□ホラー
□SF

90
冊目

書名

著者 出版社

イラストレーター 装幀

帯のキャッチコピー

読書開始日 読了日

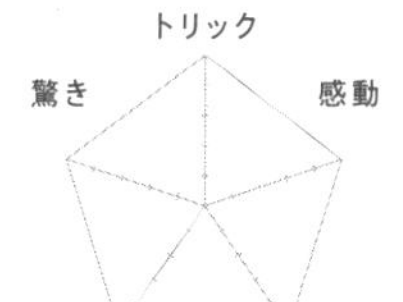

ジャンル

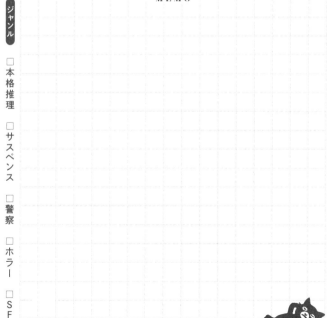

□本格推理
□サスペンス
□警察
□ホラー
□SF

MEMO

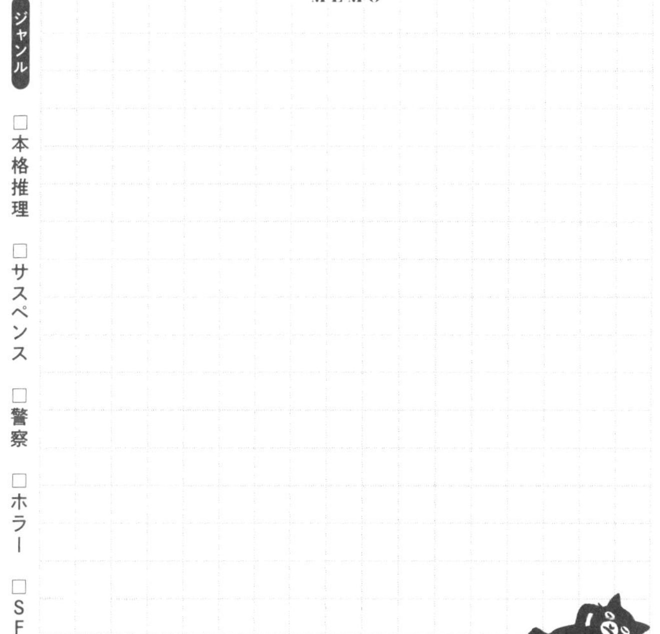

これを読めば
＼ミステリー通！／
column
9

日本ミステリーの三大奇書 編

ミステリーに詳しくなるにつれ、並大抵の作品では感動しにくくなるということもあるのではないでしょうか。ここでは、普通のミステリーでは飽き足りない、新たな扉を開くであろう作品を紹介します！

日本ミステリーの「三大奇書」をご存知でしょうか？

夢野久作（ゆめのきゅうさく）『ドグラ・マグラ』、小栗虫太郎（おぐりむしたろう）『黒死館殺人事件』、中井英夫（なかいひでお）『虚無への供物』の三作を指す言葉で、異端（アンチ・ミステリー）の系譜を形作り、日本ミステリー史上でも特異な地位を占めています。「黒い水脈（みお）」と言われることもあります（作家の埴谷雄高（はにやゆたか）がそう呼んだとされていますが、出典は不明だそうな）。アンチ・ミステリーの説明は難しいのですが、ひとまず、ミステリーでありながらミステリーの形式を否定したり逸脱したりする作品のことだと思ってください。

その端緒となるのが、1935年に刊行された『ドグラ・マグラ』です。読むと「一度は精神に異常を来たす」という煽り文句で知られるその物語の語り手を務めるのは、九州帝国大学医学部精神病科で目を覚ました記憶喪失者の〈私〉。自分が何者かを思い出すため、〈私〉は最近自殺した正木という教授の残した異様なる遺稿群を読ませられるのですが、事態はますます混迷を深めていきます。

同年刊行の『黒死館殺人事件』は、「この一作によって世界の探偵小説を打ち切ろうとしたのではないか」と江戸川乱歩に評せられた作品です。黒死館に住まう人々に降りかかる奇怪なる惨劇に博覧強記の名探偵・法水麟太郎が挑む、と内容を紹介すれば一見いかにもなミステリーに思えるものの、実態はさにあらず。全編が理解しがたいほどの衒学趣味に覆われ、読む者をめくるめく幻惑の世界に誘います。

応募された前半部分のみで江戸川乱歩賞の最終候補となったという逸話を持つのが、「反地球での反人間のための物語」と作者自身が述べる『虚無への供物』。悲運続きの氷沼家を密室殺人の連鎖が襲い、関係者たちが推理合戦を繰り広げた末、衝撃的な結末に辿り着きます。そこで明かされる真相こそ、本作がアンチ・ミステリーと称される所以でしょう。

ちなみに「三大奇書」という言葉は、虚構と現実が章ごとに反転する竹本健治『匣の中の失楽』を「第四の奇書」とするため提唱されたのが初出で、これを加えて「四大奇書」と呼ぶことも多いです。「四大奇書」という表現はもともと、中国の明代に書かれた『水滸伝』『三国志演義』『西遊記』『金瓶梅』という四つの長編小説を指し、「奇書」は「世に稀なほど優れた」を意味する言葉でした(『金瓶梅』の代わりに『紅楼夢』を加えたものは「四大名著」と言われます)。それが日本のミステリー小説に転用された形ですね。また、山口雅也『奇偶』や古野まほろ『天帝のはしたなき果実』、舞城王太郎『ディスコ探偵水曜日』、芦辺拓『綺想宮殺人事件』、神世希『神戯』など、「第五の奇書」と謳ったり評されたりした作品もあります。

過剰で狂熱的なこれら奇想の大伽藍に、ぜひ一度足を踏み入れてみてはいかがでしょうか。

91 冊目

書名

著者

出版社

イラストレーター

装幀

帯のキャッチコピー

読書開始日

読了日

トリック
感動
ストーリー
キャラクター
驚き

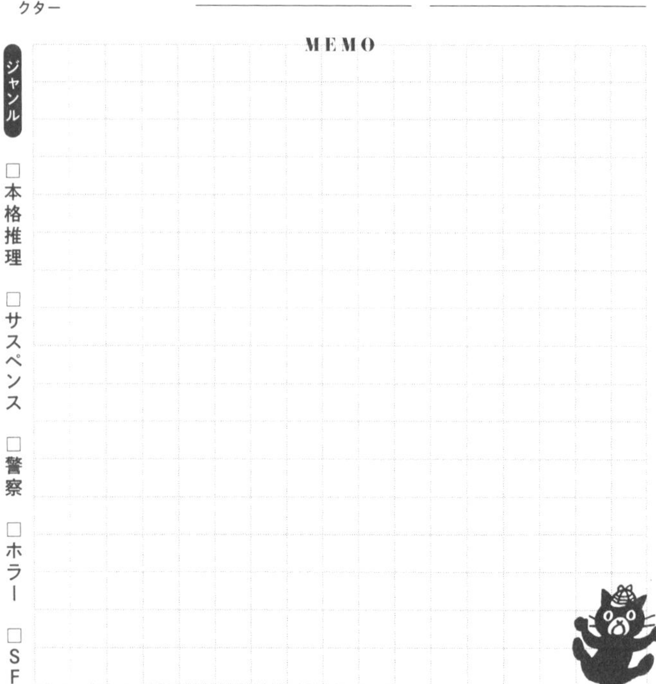

ジャンル

□本格推理

□サスペンス

□警察

□ホラー

□SF

92 冊目

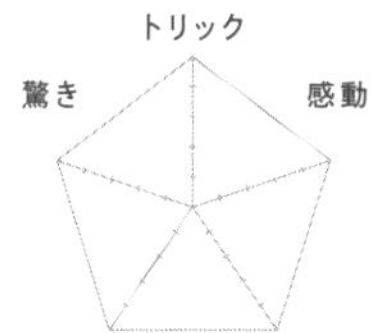

書名

著者

出版社

イラストレーター

装幀

帯のキャッチコピー

読書開始日

読了日

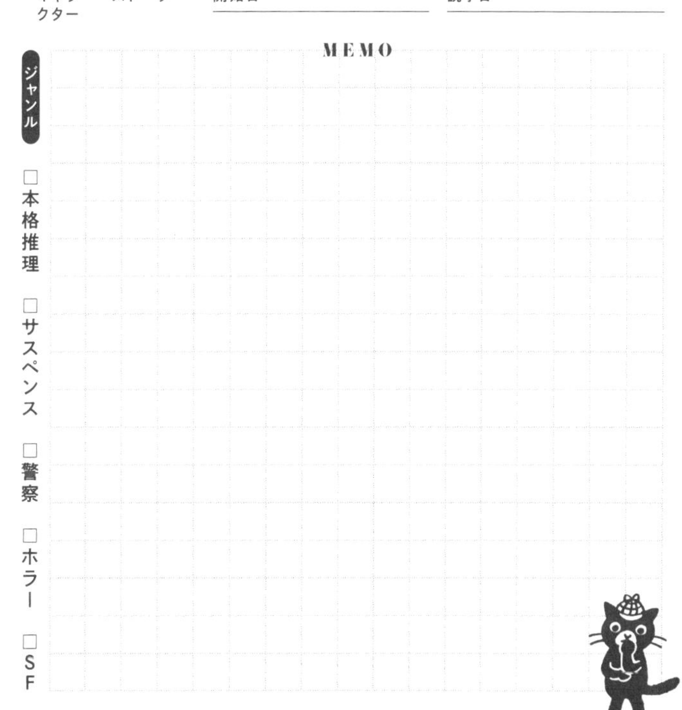

93
冊目

書名

著者

出版社

イラスト
レーター

装幀

帯の
キャッチ
コピー

読書
開始日

読了日

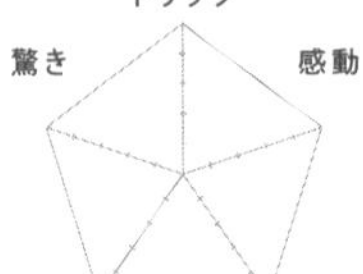

ジャンル

□本格推理

□サスペンス

□警察

□ホラー

□SF

MEMO

94 冊目

書名

著者

出版社

イラストレーター

装幀

帯のキャッチコピー

読書開始日

読了日

トリック
感動
ストーリー
キャラクター
驚き

MEMO

ジャンル

□本格推理

□サスペンス

□警察

□ホラー

□SF

95 冊目

書名

著者

出版社

イラストレーター

装幀

帯のキャッチコピー

読書開始日

読了日

トリック
感動
ストーリー
キャラクター
驚き

MEMO

ジャンル

□本格推理
□サスペンス
□警察
□ホラー
□SF

96
冊目

書名

著者

出版社

イラスト
レーター

装幀

帯の
キャッチ
コピー

読書
開始日

読了日

トリック
感動
ストーリー
キャラ
クター
驚き

MEMO

ジャンル

□本格推理
□サスペンス
□警察
□ホラー
□SF

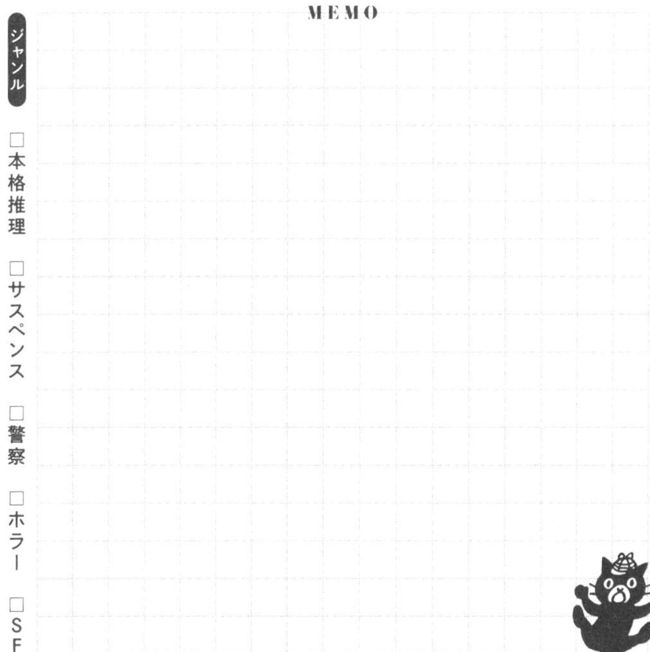

冊目

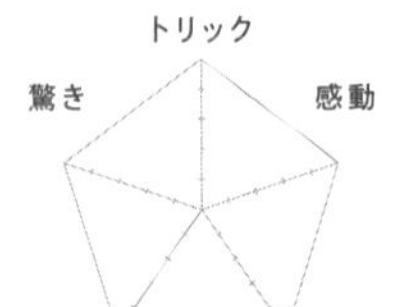

書名

著者

出版社

イラストレーター

装幀

帯のキャッチコピー

読書開始日

読了日

MEMO

ジャンル

□本格推理

□サスペンス

□警察

□ホラー

□SF

98
冊目

書名

著者
出版社

イラスト
レーター
装幀

帯の
キャッチ
コピー

読書
開始日
読了日

トリック
感動
ストーリー
キャラ
クター
驚き

MEMO

ジャンル

□本格推理
□サスペンス
□警察
□ホラー
□SF

99 冊目

書名

著者　　出版社

イラストレーター　　装幀

帯のキャッチコピー

読書開始日　　読了日

トリック
驚き
感動
キャラクター
ストーリー

MEMO

ジャンル

□本格推理

□サスペンス

□警察

□ホラー

□SF

100 冊目

書名

著者

出版社

イラストレーター

装幀

帯のキャッチコピー

読書開始日

読了日

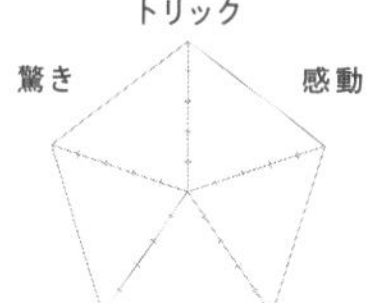

MEMO

ジャンル

□本格推理
□サスペンス
□警察
□ホラー
□SF

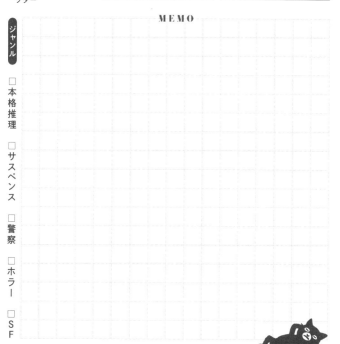

宝島社
文庫

『このミステリーがすごい！』公式
ミステリー読書ノート

2023年12月20日　第1刷発行

編　者　『このミステリーがすごい！』編集部
発行人　蓮見清一
発行所　株式会社 宝島社
〒102-8388　東京都千代田区一番町25番地
電話：営業 03(3234)4621／編集 03(3239)0599
https://tkj.jp
印刷・製本　中央精版印刷株式会社

Printed in Japan
ISBN 978-4-299-04956-8